A você, que vai entrar agora nesta linda e reveladora psicografia, desejo muita luz, paz, amor e felicidade. Que as linhas por mim escritas lhe ajudem em sua jornada evolutiva.

São meus sinceros votos,

JOANA D'ARC
O AMOR VENCEU

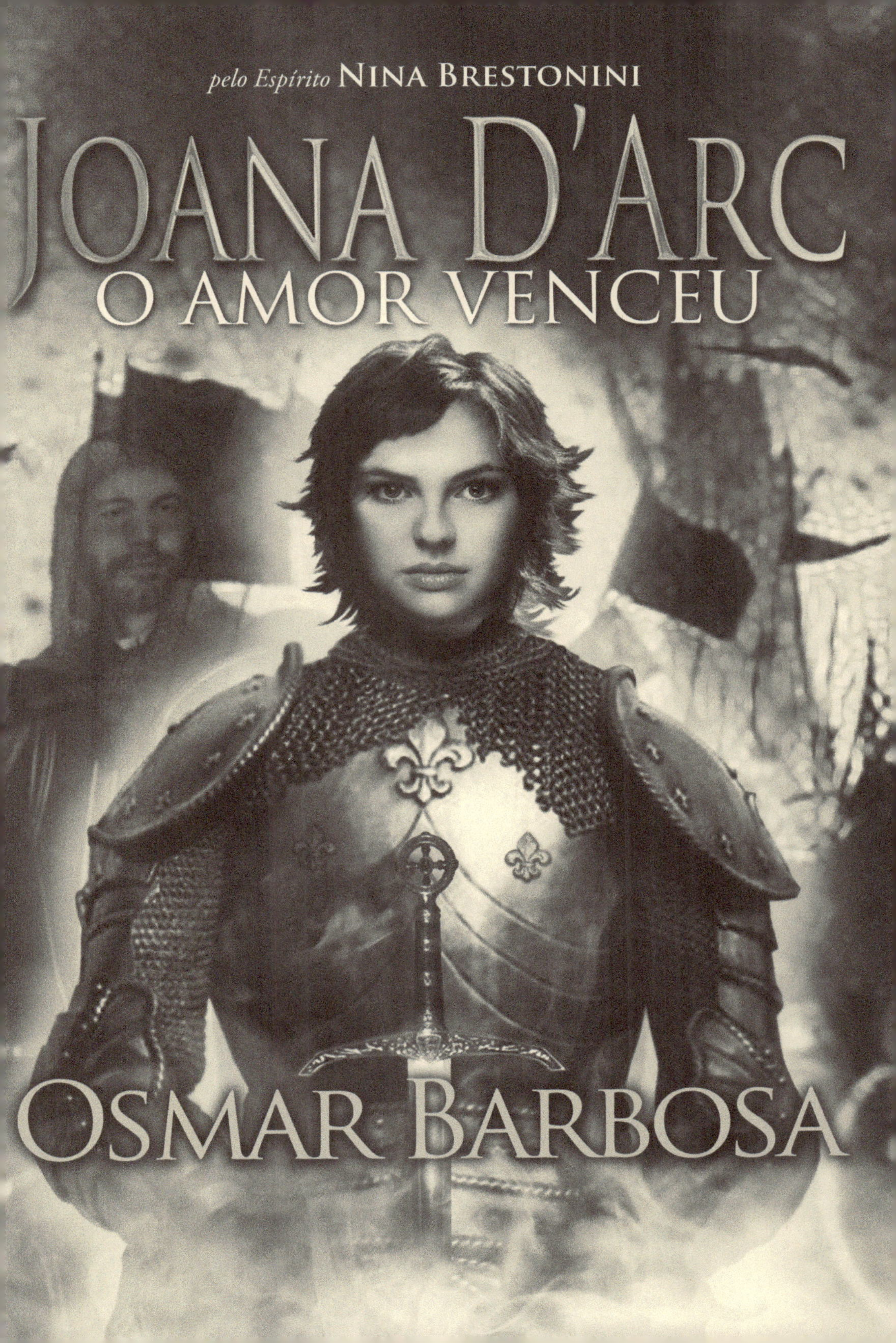
pelo Espírito NINA BRESTONINI
JOANA D'ARC
O AMOR VENCEU
OSMAR BARBOSA

BOOK ESPÍRITA EDITORA

ISBN: 978-85-69168-05-8

Capa e Arte Digital
Marco Mancen

Projeto Gráfico e Diagramação
Marco Mancen Design

Iustrações Miolo
Manoela Costa

Revisão
Josias A. de Andrade

Marketing e Comercial
Michelle Santos

Pedidos de Livros e Contato Editorial
comercial@bookespirita.com.br

5ª edição
Prefixo Editorial: 92620
Impresso no Brasil

O autor cedeu os direitos autorais deste livro à
Fraternidade Espírita Amor e Caridade.
Rua São Sebastião, 162 - Itaipu - Niterói,
Rio de Janeiro.
www.fraternidadeespirita.org

---

pelo Espírito NINA BRESTONINI

JOANA D'ARC
O AMOR VENCEU

Book Espírita Editora
5ª Edição
| Rio de Janeiro | 2021 |

OSMAR BARBOSA

Outros livros psicografados por Osmar Barbosa

Cinco Dias no Umbral

Gitano - As Vidas do Cigano Rodrigo

O Guardião da Luz

Orai & Vigiai

Colônia Espiritual Amor e Caridade

Ondas da Vida

Antes que a Morte nos Separe

Além do Ser - A História de um Suicida

A Batalha dos Iluminados

Eu Sou Exu

500 Almas

Cinco Dias no Umbral - O Resgate

Entre nossas Vidas

O Amanhã nos Pertence

O Lado Azul da Vida

Mãe, Voltei!

Depois...

O Lado Oculto da Vida

Entrevista com Espíritos - Os Bastidores do Centro Espírita

Colônia Espiritual Amor e Caridade - Dias de Luz

O Médico de Deus

Amigo Fiel

Impuros - A Legião de Exus

Vinde à Mim

Autismo - A escolha de Nicolas

Umbanda para Iniciantes

Parafraseando Chico Xavier

Cinco Dias no Umbral - O Perdão

Acordei no Umbral

A Rosa do Cairo

Deixe-me Nascer

Obssessor

Regeneração – Uma Nova Era

Deametria – Hospital Amor e Caridade

A Vida após a Morte

Agradecimento

Agradeço primeiramente a Deus por ter me concedido esse verdadeiro privilégio de servir humildemente como um mero instrumento dos planos superiores.

Agradeço a Jesus Cristo, espírito modelo, por guiar, conduzir e inspirar meus passos nessa desafiadora jornada terrena.

Agradeço a Nina Brestonini e aos demais espíritos ao lado dos quais tive a honra e o privilégio de passar alguns dias psicografando este livro. Agradeço ainda pela oportunidade e por permitirem que essas humildes palavras registradas neste livro ajudem as pessoas a refletir sobre suas atitudes, evoluindo.

Agradeço ainda à minha família pela cumplicidade, compreensão e dedicação. Sem vocês ao meu lado, dando-me todo tipo de suporte, nada disso seria possível.

E agradeço a você, leitor amigo, que comprou este livro, e com a sua colaboração nos ajudará a levar a Doutrina Espírita e todos os seus benefícios e ensinamentos para mais e mais pessoas.

Obrigado.

A todos, os meus mais sinceros agradecimentos.

Osmar Barbosa

Conheça um pouco mais de Osmar Barbosa:
www.osmarbarbosa.com.br

“

A missão do médium é o livro.
O livro é chuva que fertiliza lavouras imensas,
alcançando milhões de almas.

”

Emmanuel

Sumário

O sangue que corre em minhas veias corre também em minha espada. O amor que tenho por Jesus pulsa toda energia de meu coração.

Joana D'Arc

Falta-nos Compreender

Falta-nos compreender muitas coisas dos planos de Deus. A reencarnação é motivo de muita controvérsia para nós, encarnados, mas seguindo os ensinamentos deste livro, veremos que o amor pode superar qualquer barreira, e que a fé verdadeira pode realmente transpor montes como nos disse nosso amado irmão Jesus:

"E Jesus lhes disse: Por causa de vossa pouca fé; porque em verdade vos digo que, se tiverdes fé como um grão de mostarda, direis a este monte: Passa daqui para acolá, e há de passar; e nada vos será impossível."

(Mateus 17.20)

A história de Valéria e Porfírio, que nos é trazida nestas linhas, mostra claramente a lei de ação e reação, causa e efeito. Nos mostra, ainda, que tudo pode e deve ser ajustado, conforme nossa vontade e nosso desejo sincero, e que acima de tudo o Criador deseja que Seus amados filhos sigam sempre nessa busca incansável, e compulsória, a chamada perfeição.

Deus, em Sua bondade infinita, nos dá as chances de resgates por toda a eternidade, separando sempre o joio do trigo, o bem do mal, o imperfeito do perfeito, o justo do injusto, o que deseja realmente e o que deseja sem forças, sem coragem e sem fé. Nossas ações provocam reações. E para toda causa há um efeito.

Nosso querido irmão Jesus não se cansou de nos dar ensinamentos profundos sobre amar e ser amado, lições essas que temos diariamente. Aproveitemos as provas para os ajustes necessários à vida plena. Esse é o destino de todos os espíritos, encarnados ou não.

Esse Pai de infinita bondade não se esquece de nenhum de nós, podemos aproveitar esta encarnação para o ajuste final.

Querido leitor, não perca as oportunidades que lhe são dadas todos os dias, de fazer ajustes com seus companheiros desta vida, pois Deus é tão justo, que o resgate de todos os nossos débitos está sempre ao nosso alcance. Não existem acasos na lei de Deus.

Os que lhe cercam hoje são os que devem estar em sua jornada atual e provavelmente futura.

Saiba que Deus nos concede, a cada dia, uma página em branco de nosso livro da vida, e o que colocamos nela corre por nossa conta.

E lembre-se de que quem o criou o ama profundamente e que nada do que acontece hoje lhe servirá de ensinamento e aprendizado para as vidas futuras ou que não sejam resgates de suas vidas passadas.

Os ajustes são necessários, e é por meio deles que conseguiremos servir aos propósitos do Pai eterno, ajustando-nos para a felicidade do Criador.

Tenham todos uma ótima leitura!

Osmar Barbosa

“

Reconhece-se o verdadeiro espírita pela sua transformação moral, e pelos esforços que faz para domar suas más inclinações.

”

(Allan Kardec, E.S.E., XVII, 4*)*

Segundo Humberto de Campos, pelo médium Chico Xavier, a última reencarnação de Judas Iscariotes na Terra foi da conhecida heroína francesa Joana D'Arc, queimada nas fogueiras inquisitoriais do século XV, conforme mensagem apresentada no livro *Crônicas de Além-Túmulo*.

Fiquei perplexo ao receber essa psicografia, e logo me preocupei em não discordar do amado Chico Xavier e Humberto de Campos. Procurei uma explicação questionando Nina Brestonini, o espírito que me passou este livro. Ela então me disse o seguinte:

"Os livros que você está recebendo são informações preciosíssimas que devem ser publicadas. Nós estamos em perfeita harmonia com os irmãos mais sublimes. Essas instruções são necessárias a todos os espíritas que lerão essas obras. Chico Xavier ri muito quando você titubeia duvidando de sua missão. Siga em frente, às vezes coisas que causam polêmicas são necessárias para despertarem a curiosidade que será prontamente utilizada para instruir corações aflitos.

Os meios não importam, o que importa sempre é o fim, lembre-se disso. Humberto de Campos, quando dessa mensagem, sobre Joanna D'Arc, atingiu um nobre propósito. Agora publique-se: o Amor venceu. Verás que tudo tem um objetivo maior.

Porém, se analisares bem os fatos da Paixão de Cristo, chegarás à conclusão que Judas foi mais um traído do que propriamente um traidor.

Essa afirmação tem base no diálogo entre ele e Tiago, no dia anterior à prisão de Jesus, no qual Judas revela o seu plano de simplesmente apressar o triunfo, no mundo, do Cristianismo, e não o de eliminar seu Mestre, que amava profundamente. Esta informação é do Espírito Humberto de Campos, publicada no livro Boa Nova, psicografado também pelo médium Chico Xavier, no capítulo A Ilusão do Discípulo.

A prova disso está no fato de que Judas Iscariotes, ao receber do Sinédrio as trinta moedas de prata como pagamento para entregar Jesus, não esperava receber o fel da amarga desilusão, ao ver o Cristo duramente torturado. Ao perceber a traição dos fariseus, pois não era isso que desejava para o seu Mestre, ele de imediato foi devolver as moedas recebidas para desfazer o acordo infeliz. Nesta oportunidade, porém, recebeu em troca a expressão de deboche dos príncipes dos sacerdotes: 'Isso é contigo'. Nada mais restava fazer para salvar o Mestre dos Mestres. Infelizmente o plano sinistro estava consumado!

Foi então que Judas, depois de assistir às cenas do Calvário, levado por tremendo remorso, cometeu o suicídio. No entanto, Jesus, após a sua morte e tocado de compaixão, foi ao encontro do espírito enlouquecido de Judas, permanecendo três dias ao seu lado até que ele adormecesse, segundo a revelação da poetisa desencarnada Maria Dolores, no livro Coração e Vida. Só depois desse gesto de amor e de perdão é que Jesus apareceu materializado a Maria Madalena, segundo o Evangelho de João (Cap. 20: 11-18).

Como podes ver, há várias histórias e uma variante ainda maior de conclusões.

Publique-se: Joanna D'Arc, O Amor Venceu.

Fique com Deus."

Nina Brestonini

Vós sois a luz do mundo.

Não se pode esconder a cidade edificada sobre um monte; nem se acende uma candeia para colocá-la debaixo do alqueire, mas no velador, e alumia a todos os que se encontram na casa.

Assim brilhe também a vossa luz diante dos homens, para que vejam as vossas boas obras e glorifiquem a vosso Pai que está nos céus.

(Mateus 5.14-16)

Isabelle D'Arc

França, 1412.

Isabelle acorda, não se sentindo muito confortada com a enorme barriga de nove messes de gestação. Dirige-se à cozinha em busca de algo para comer e é recebida por sua empregada Iolanda.

– Bom dia, senhora.

– Bom dia, Iolanda. Hoje, não sei por que, não me sinto bem.

– A senhora deveria é ficar na cama. Venha para o quarto, senhora. Deite-se e descanse – diz Iolanda.

– É, acho melhor deitar-me; embora esteja com fome, não me sinto bem – concordou Isabelle com a sua empregada.

– Sinto que esta criança está pela hora de nascer; avise a parteira, deixe-a de sobreaviso e faça todos os preparativos. Diga-lhe que não acordei bem. Vou voltar para meu quarto – diz Isabelle, acariciando a enorme barriga.

– Sim, minha senhora, vou providenciar tudo. Desejas que avise o senhor Jacques?

– Não, não precisa; se algo acontecer de mais sério, avise-o. Deixe-o trabalhar. Onde ele está?

– Está cuidando das plantações.

– E as crianças?

– Estão brincando no quintal. Não ouves os gritos?

– Estou tão atordoada, que mal consegui prestar atenção em meus filhos.

– Vá deitar-se, senhora, deixe que eu cuido de tudo.

– É isso que vou fazer. Se puder, leve meu desjejum, por favor.

– Sim, minha senhora. Vou levar. Agora volte para a cama.

– E não fale nada com o Jacques, deixe-o sem esta preocupação por enquanto – aconselha Isabelle.

– Sim, senhora.

Iolanda é uma governanta bem dedicada, empregada da família de longa data, chega a ser como um membro da família de Isabelle.

De pele negra, pouca estatura, astuta e inteligente, está sempre disposta a ajudar sua patroa e companheira Isabelle. Não recebe salário por seu trabalho, mas não se incomoda com isso. É uma camareira fiel e dedicada e alegra-se em brincar com as crianças da casa.

Às vezes é advertida por Jacques, pois se comporta como uma criança, como todas as demais crianças da humilde, porém confortável residência dos Jacques.

Após deixar Isabelle em seu quarto, Iolanda vai até a cozinha para realizar os preparativos necessários para a hora do nascimento do tão esperado bebê. Sem saber explicar, acha que realmente está chegando a hora do nascimento do quinto filho dos Jacques.

Separa toalhas de linho branco e providencia caldeirões para pôr água para ferver, no grande fogão a lenha que há numa cozinha separada da casa.

Isabelle é de família pobre, vive no vilarejo de Domrémy, na região de Lorena, na França. Casada com Jacques, tem ainda outros quatro filhos: Catherine, Jacques, Jean e Pierre.

O bebê que está para nascer é muito esperado pela família de agricultores que vive uma vida simples e humilde, porém muito confortável.

Isabelle é ainda exímia artesã. Com as próprias mãos realiza trabalhos em tear, e desta forma ajuda a Jacques no sustento dos filhos.

Tece toalhas de linho, tapetes e tecido. Ainda nas horas vagas, pinta em tecido quadros com paisagem local, quadros estes muito disputados por todos os vizinhos e moradores do vilarejo.

Jacques, seu esposo, é um homem dedicado à família e muito religioso. Todos os domingos faz questão que todos da família o acompanhem à pequena capela do vilarejo para, em oração, agradecer o alimento e a linda família que tem, incluindo Iolanda, que apesar de estar sempre aborrecida com o fato, acompanha os patrões à igreja.

Tudo corre perfeitamente na vida simples daquele casal.

Ao deitar-se, Isabelle acomoda-se na cama e logo dorme, apesar de estranhar tamanha moleza, pois mal consegue ficar de pé. Adormece lentamente, entrando em uma espécie de sono acordado.

– Isabelle, Isabelle, ouça-me!

Assustada, Isabelle abre os olhos, e à sua frente está um lindo e enorme anjo, vestindo uma espécie de farda e saias. Em suas costas, duas grandes asas abertas com longas penas brancas o mantêm levitando a uns cinquenta centímetros do chão. Posicionando-se à sua frente e fixando seu olhar nos lindos olhos azuis de Isabelle, o anjo começa um diálogo.

Isabelle fica assustada com a aparição.

– Não se assuste, por favor, mantenha-se calma! Preciso muito lhe falar.

Tentando ainda se recompor, Isabelle ergue o tronco apoiando-se sobre os cotovelos. Seus lindos cabelos ruivos e longos lhe cobrem a face. Delicadamente, o inesperado visitante aproxima as mãos do rosto de Isabelle, e suavemente retira as mechas douradas que lhe cobrem a visão, liberando-a para uma visão completa do inesperado acontecimento.

Sem falar nada, Isabelle, asssustada, fixa o olhar na inesperada aparição, mas incrivelmente calma. Ainda muito surpresa e meio impressionada pela visão inesperada, ou sonho, esfrega lentamente os olhos tentando acreditar no que está à sua frente. Seu coração galopa acelerado como se fosse sair pela boca.

– Quem é você?

– Me chamo Miguel.

– Que visão é essa? O que está acontecendo? Será um sonho?

– Fique calma, trago-lhe um recado de Jesus.

– Meu Deus, o que é isso?! Será que estou ficando louca? Recado de Jesus? Como assim? Estou morrendo?

– Calma, por favor, mantenha-se calma! Seu estado não me permite assustá-la. E afinal, preciso que tudo corra bem neste momento.

– Sim, me respeite, por favor! Não vê que estou prestes a parir uma criança?

– E é por esse motivo que estou aqui. Preciso lhe falar sobre Jeanne.

– Quem é Jeanne? Aqui não mora nenhuma Jeanne. Perdoe-me, mas não a conheço.

– Pois sei que aqui ainda não mora nenhuma Jeanne, mas tenho certeza que não errei o endereço.

– Como assim, quem é essa tal de Jeanne?

– Jeanne é essa linda menina que você vai parir.

– Senhor Anjo, ou sei lá o quê. Digo, Miguel, eu já escolhi o nome, caso seja menina, e certamente não se chamará Jeanne.

– Confesso, senhora, que sua vontade nesta hora é a vontade do Senhor, seu Deus, que lhe ordena que dê este nome à menina.

– Esta conversa está um tanto confusa para mim, não estou entendendo bem aonde o senhor quer chegar.

Agora mais calma, Isabelle passa a observar a beleza que resplandece daquele enorme anjo à sua frente.

Miguel é um arcanjo alto, moreno de pele lisa. Traja uma espécie de farda dourada com detalhes de prata, usa botas douradas, e às costas tem duas asas brancas; em sua mão traz uma espécie de espada feita de ouro, com detalhes de pedras vermelhas, cravejadas ao longo do cabo. Seus dentes são brancos como marfim, tem olhos azuis-escuros como se fossem duas garnets, e cabelos ruivos que terminam numa combinação perfeita entre anjo e encarnado.

– Pode parecer confuso, mas tenha certeza de que não existem acasos. Se eu estou aqui é porque tenho algo muito importante para lhe dizer – diz Miguel.

– Mas o senhor já chega falando que vou ser mãe de uma menina, como o senhor pode saber isso?

– Sou um anjo, e os anjos sabem das coisas.

– E se não for menina?

– Se não for menina, podes colocar o nome que melhor desejar. Podemos ficar combinados assim, o que achas?

– Se és anjo mesmo, aceito suas recomendações. Mas por que isso está acontecendo comigo?

– Fico muitíssimo feliz com sua decisão. Tenha calma, que vou lhe explicar. Se não se importa, retire o corpo de sobre seus cotovelos, isso está pressionando Jeanne que já está por nascer.

– Será que estou sonhando? Agora o senhor me manda relaxar, é isso mesmo?

– Sim, relaxe que vou lhe explicar tudo direitinho. Você pode até considerar que isso é um sonho, se assim achar melhor, mas tenho algo muito importante para lhe revelar.

– Então não perca seu tempo e vá logo direto ao assunto – diz Isabelle, agora ansiosa para saber o porquê daquela aparição.

Densa neblina azulada invade o ambiente, e de dentro dessa névoa que clareia o recinto e transcende aos mais nobres sentidos, aparece uma linda jovem de cabelo castanho, que vai até a cintura, olhar penetrante. Veste uma linda roupa vermelha com detalhes em verde.

– Espere! Quem está aí com você? Olhe, tem alguém chegando! Meu Deus, o que é isso tudo?

– Fique calma!

– Nós viemos para acompanhar seu parto, e também para proteger e guiar os passos desta menina em sua trajetória terrestre – diz a jovem que acaba de chegar ao quarto de Isabelle.

– Mas quem é esta linda moça que chegou? – retruca.

A jovem visitante aproxima-se de Isabelle lentamente, levitando no humilde e pequeno cômodo.

– Querida irmã, me chamo Catarina!

Surpresa com a visita, Isabelle sente-se mais calma.

Algo novo acontece dentro de seu coração, uma brandura invade seu peito.

– Tenho uma filha com este nome! – diz Isabelle, emocionada.

– Sim, sei, e isso tem um propósito.

– Como assim?

– Nada acontece por acaso na lei de Deus, como já lhe disse Miguel. Todos, e tudo, estão de acordo com a necessidade de ajustes necessários a esta vida e às demais.

– Como assim?

– Deus é o Criador de todas as coisas, como sabes e acreditas. Ele acompanha de perto todas as nossas vidas, e nos auxilia com seus anjos iluminados a seguir diretamente para a evolução espiritual, tão necessária a todos nós – diz Catarina.

– Fique tranquila, viemos para lhe acompanhar e seguir os passos de Jeanne – intercede Miguel.

– Mas que Jeanne é essa?

– Sua filha que vai nascer.

– Começo a acreditar que realmente será uma menina.

– Pode confiar, ela terá pela frente uma linda vida e uma nobre missão.

– Se essa é a vontade de Deus, o que posso eu questionar?

– Sim, Isabelle, é isso mesmo! Nós estamos bem perto de sua família há bastante tempo, e agora é chegada a hora de cumprirmos parte de nossa tarefa.

– Nós quem? Tem mais alguém além de vocês?

– Sim. Eu, Catarina, o Arcanjo Miguel e Margarida.

– Mas confesso que não estou entendendo! Estou cada hora mais confusa. Quem é esse Arcanjo Miguel?

– Sou eu, senhora! Não se lembra de ter visto na igreja? E acabei de me apresentar à senhora.

– Sim, mas lá pareces diferente. Desculpe-me, mas estou confusa, e você não falou que era o Arcanjo Miguel, você simplesmente me disse chamar-se Miguel.

– Os traços que os homens me deram realmente são um pouco diferentes, mas sou o Arcanjo Miguel.

Isabelle esfrega novamente os olhos tentando compor-se diante de tanta luz e tantas novidades naquele momento.

– Mas a que devo a honra de tão nobre visita?

– Iremos lhe explicar.

– Onde está Margarida? – pergunta Isabelle.

– Está muito próxima a seu marido, Jacques; ela o está protegendo.

– Deus! Ele está em perigo?

– Não, querida irmã, somos protetores; e por isso cada um de nós tem uma tarefa na lei divina.

– Entendi. São como anjos da guarda, é isso?

– Sim, é isso.

– Mas o que querem de mim?

Uma enorme paz abranda o coração de Isabelle, que fica mais receptiva à visita dos espíritos celestiais em seu quarto.

– Preste muita atenção: sua filha se chamará Jeanne, e precisará de muita compreensão e carinho por parte de todos da família – diz Catarina.

– Deus meu, ela terá algum defeito físico? – pergunta Isabelle, um pouco nervosa.

– Não, querida irmã, nada disso. Jeanne passará por prova muito grande em sua adolescência, e precisará do apoio de todos vocês, principalmente de Jacques, seu marido.

– Compreendo, mas o que irá acontecer?

– Por ora é o que podemos lhe falar, apenas compreenda as atitudes de sua menina e dê-lhe todo o apoio e carinho.

– Haverá dias em que ela precisará muito de seus conselhos para seguir adiante, haverá fatos e visões que todos chamarão de anormalidades que surgirão pela frente, mas nada mais são do que as comunicações que ela fará conosco.

– Muitas vezes não será compreendida e sofrerá muito por causa disso. E é nesta hora que você precisará apoiá-la e incentivá-la a seguir seu destino – diz Miguel.

– Ela sofrerá?

– Não, querida irmã. Sua filha Jeanne tem pela frente uma linda missão. E nós estaremos ao lado dela em todo momento. Confie em Deus, e tudo se abrandará com o passar dos anos.

– Confio em Deus, sei que Ele jamais me abandonará; e se é isso que temos que passar, passaremos com o amor renovado em nosso seio familiar e em nossos corações.

– É assim que se fala! – diz Miguel.

– Agora volte a dormir e descanse, falta pouco tempo para a menina nascer.

– Obrigada! Protejam minha filha e minha família, e perdoem-me por minhas falhas.

– Pode deixar, em nenhum momento ela estará sozinha. E não precisas pedir perdão, nós é que estamos honrados em estar ao lado dessa linda família – diz Miguel.

– Agora descanse...

– Obrigada, Catarina! Obrigada, Miguel!

– Descanse, querida irmã – diz Catarina, calmamente.

A névoa se desfaz lentamente.

Isabelle acorda assustada com a visão.

– Meu Deus, o que foi isso? Será verdadeiro este sonho? Mas me parecia tão real! E agora, o que faço? Será que devo contar a Jacques o ocorrido? Acho melhor me manter em silêncio. Se contar isso às pessoas, todos vão achar que estou louca. Mas se for uma menina é este o nome que vou dar a ela. Confio em Deus e sei que se esses anjos lindos que estiveram aqui para me visitar estarão sempre do nosso lado, nos guiando e protegendo toda a minha família. Deus cuide de minha filha! Confio muito em sua promessa, Miguel e Catarina. Vou fazer uma oração.

Ao lado direito do quarto de Isabelle há um pequeno oratório onde Jacques faz suas preces todos os dias, agradecendo a Deus pela sua vida e por sua família.

Com muita dificuldade, Isabelle levanta-se e vai até o lugar, ajoelha-se e começa a orar.

Senhor Deus, compreendi agora que tenho em meu ventre uma menina que passará por algumas provas que o Senhor mesmo escolheu para ela. Dê-me forças, saúde e equilíbrio para auxiliar minha filha nesta jornada terrena.

Se for de Sua vontade ela será feita. Confio em Ti, Senhor; em Catarina, em Miguel e em todos os anjos de luz que agora compreendo, estão em minha vida.

Obrigada, Senhor, pela linda visita que tive, e me faça forte o suficiente para suportar as dores, e que eu tenha a sabedoria para aceitar Vossos desígnios. Cuide de minha família. Amém.

Após algum tempo orando e refletindo sobre a aparição, Isabelle volta a deitar-se, e agora consegue dormir em sono profundo.

Horas depois, Isabelle é acordada com fortes contrações, que avisam que o trabalho de parto se inicia. É chegada a hora do nascimento de Jeanne.

Oito longas horas se estendem, e sentindo a dor do parto, finalmente Isabelle dá à luz uma linda menina de olhos azuis, cabelos ruivos, pele branca e macia, dedos longos, um verdadeiro anjo em perfeição.

A sala da pequena casa estava lotada, todos os vizinhos e amigos aguardavam ansiosamente a notícia do nascimento do bebê.

Jacques, ainda com as roupas de trabalho do campo, caminhava de um lado para outro, ansioso e preocupado com sua amada Isabelle.

Iolanda adentra apressadamente a sala trazendo a notícia que todos esperavam.

– Senhor Jacques, acaba de nascer uma linda menina.

– Ó Deus de bondade, obrigado por tudo! E Isabelle, está bem?

– Sim, senhor, está ótima. Breve estará restabelecida e pronta para a vida.

– Senhor, se me permite, ela é uma linda menina, ruiva de olhos azuis, como a imensidão dos céus em dias lindos.

– Obrigado, Iolanda, fico realmente muito feliz.

– Se o senhor quiser, já podes tomá-la em seus braços.

– Claro que sim, este é o meu desejo.

– Venha, vamos até o quarto.

Apressadamente, Jacques entra no quarto para ver sua filha, recém-chegada à família, e sua querida esposa.

Fixando o olhar em Isabelle, Jacques corre ao seu encontro.

– Querida, estás bem?

– Sim, querido, estou bem.

– Olhe como é linda nossa menina!

– Sim, linda mesmo! Veja que é muito esperta, já nasceu com os olhos abertos. E lindos olhos ela tem!

– Sim, querido, realmente ela é diferente. Os outros nasceram e demoraram a abrir os olhos, ela já nasceu olhando fixamente para mim.

– Como iremos chamá-la? – pergunta Jacques.

– A chamaremos de Jeanne, Jeanne D'Arc.

– Se assim desejas, assim ela se chamará, Jeanne D'Arc.

– Leve-a para que todos possam ver tamanha beleza – sugere Isabelle.

– Sim, querida, vou levá-la à sala para que todos os nossos amigos e familiares possam ver tamanha beleza em uma só menina.

Cuidadosamente, Jacques toma sua filha nos braços, enrolando-a em tecido de linho branco, preparado exclusivamente para esse dia, por Isabelle. Com cuidado, leva a pequenina até a sala onde todos estão ansiosos para ver a menina recém-chegada.

Todos se espantam com tanta beleza. Os irmãos ficam em festa, afinal, agora a família está completa. Catherine não será a única menina da casa.

– Parabéns! – diz o melhor amigo de Jacques, de nome Pierre.

– Obrigado, querido amigo!

– Como se chamará a menina? Já escolheu o nome?

– Sim, ela já tem um nome – diz Jacques.

– Já escolhestes o nome? – pergunta a vizinha de nome Helena, aproximando-se e muito curiosa.

– Sim, ela se chamará Jeanne D'Arc.

– Lindo nome, parabéns! Venha, Jean, olhe que linda menina!

Jean é o filho de Pierre, um pequeno menino que tem apenas dois anos. Muito contente, fixa seu olhar na recém-chegada Jeanne.

Todos se comprazem com a alegria da família de Jacques. São servidas comidas e bebidas. Todos comemoram a chegada da pequena Jeanne.

Logo a menina entra em choro forte, o que alegra a todos. Jacques, nervoso, chama Iolanda para pegá-la de seus braços.

– Venha, Iolanda, pegue Jeanne e leve-a à sua mãe, para ser amamentada. Parece-me com fome.

– Sim, senhor Jacques.

Tomando Jeanne em seu colo, Iolanda leva-a para ser amamentada.

– Logo veremos esta linda menina brincando e correndo pelos campos – diz Pierre.

– Sim, caro amigo. Espero que ela tenha bastante saúde e seja muito feliz vivendo ao lado de todos de nossa vila, principalmente ao lado de seus irmãos.

– Sim, amigo, com certeza ela será muito feliz.

– Obrigado, amigo – agradece Jacques sentindo-se muito feliz.

– Saiba que no próximo domingo a levarei para mostrá-la a nosso Senhor Jesus Cristo, em nossa capela, e pedirei ao padre que a abençoe e coloque sobre ela a proteção de nosso Senhor Jesus Cristo, por toda a sua vida.

– Faremos assim, amigo; podes contar comigo, estarei a seu lado.

– Obrigado. Agora vamos comemorar este dia.

– Como está a senhora Isabelle?

– Está bem, Isabelle é uma grande mulher.

– Sim, realmente é uma senhora de muito respeito; e certamente, como você, deve estar também muito feliz.

– Você nem imagina a felicidade de nossa família.

– A conversa está muito boa, mas vamos aproveitar este momento e orar a Nosso Senhor que nos presenteou com essa menina de cabelos ruivos, linda e saudável.

– Sim, vamos orar.

Jacques, então, convida a todos os presentes para ficarem em silêncio, quando profere uma linda prece de agradecimento pela menina Jeanne.

Bem aventurados os pacificadores, porque serão chamados filhos de Deus.

Jesus Cristo

Catarina de Alexandria

Alexandria, 305 d.C.

Catarina, filha do rei Costus e da rainha Sabinela, nasceu em Alexandria, no Egito, no fim do século III.

Distinguia-se por sua inteligência e beleza. Era pagã, como seus pais.

Dois sábios de Alexandria foram os seus mestres, e tão rápidos foram seus progressos, que aos treze anos era mestra nas sete artes livres: eloquência, poesia, música, arquitetura, escultura, plástica e coreografia.

Quando Costus faleceu, Catarina retirou-se com sua mãe, Sabinela, para as montanhas da Cilícia.

Sabinela encontrou-se com um eremita cristão chamado Ananias que a instruiu na fé cristã.

Sabinela aderiu a Jesus Cristo e recebeu o batismo.

Como verdadeira cristã, desejou que também sua filha Catarina conhecesse o cristianismo e se tornasse discípula de Jesus Cristo. Catarina, porém, resistia às insistências da mãe. Um sonho significativo que tiveram, mãe e filha, foi o meio empregado por Deus para chamar Catarina à verdadeira fé.

Desejosa de conseguir aquilo que o sonho lhe prometera, instruiu-se nas verdades da religião cristã. Suficientemente preparada, Catarina recebeu o batismo. Príncipes de diversas regiões, que ouviam falar da sabedoria e da beleza de Catarina, desejavam casar-se com ela.

Catarina, porém, foi radical em sua decisão de renunciar ao casamento e a todas as honras e riquezas da Terra, para servir exclusivamente a Jesus Cristo. Era ousada em combater os deuses pagãos e em falar ao povo do Deus verdadeiro.

Com apenas dezoito anos, em discussão pública, confundiu os maiores filósofos da cidade em que morava.

Em 307, o imperador Maximino Daia decretou uma perseguição aos cristãos de Alexandria. Para conseguir seu objetivo, promoveu uma festa no templo dos deuses e convocou todo o povo para oferecer incenso aos ídolos.

Por medo da morte, os cristãos viam-se constrangidos a oferecer incenso a esses deuses a quem não acreditavam. Ciente destes acontecimentos, Catarina que temia unicamente a Deus, enfrentou o imperador Maximino Daia. Ele procurou confrontar as afirmações de Catarina e lhe provar que o cristianismo era um absurdo. A jovem corajosa ficou inabalável em sua fé.

Ante a firmeza de Catarina, o imperador convocou os sábios do império para uma disputa com a jovem Catarina.

No dia combinado, os sábios compareceram ao palácio real. Catarina também se apresentou. Maximino Daia, no seu trono, e grande número de alexandrinos assistiam à disputa.

Os sábios expuseram a sua doutrina em defesa da autoridade dos deuses.

O auditório aplaudiu. Catarina falou da Divindade eterna, Criador do céu e da Terra, e da humanidade do Verbo. Sua firmeza e a clarividência de tudo o que afirmava abalaram as convicções dos sábios, e todos passaram a acreditar em Deus.

Muitas pessoas presentes ao debate também se converteram ao cristianismo. Maximino Daia, enfurecido com os sábios que reconheceram a falsidade dos deuses, mandou que todos eles fossem queimados vivos em praça pública.

Por ordem de Maximino Daia, Catarina foi encarcerada. No dia seguinte, o imperador mandou chamá-la à sua presença. Apaixonado por sua beleza, procurou conquistá-la por meio de adulações e propostas. Prometeu até dedicar-lhe um templo. Destemida, Catarina permaneceu firme em sua fé.

Decepcionado, Maximino Daia ordenou que a flagelassem e a deixassem no cárcere sem comer e sem beber. Num sonho, a imperatriz viu Catarina no cárcere, rodeada de luz e assistida por pessoas vestidas de branco.

Pediu então ao general Porfírio que a levasse ao cárcere.

O general, que já havia perdido a fé nos deuses dos pagãos e se inclinava a aderir ao cristianismo, atendeu prontamente o pedido da imperatriz. Chegaram ao cárcere durante a noite, e a viram iluminada por grande claridade. Foi para ambos a hora da graça de Deus.

Conversaram longamente com Catarina. A adesão a Cristo, esclarecida e corajosa, foi o fruto desse encontro. Catarina animou-os a se prepararem para as consequências de sua decisão, inclusive para o martírio.

Porfírio comandava a primeira corte dos guardas imperiais: 500 homens. Confirmado na fé, anunciou aos seus soldados a boa-nova de Jesus. Muitos se converteram. Catarina passou doze dias na prisão.

Foi, então, convocada a comparecer ao tribunal. O imperador ficou surpreso ao vê-la mais bela do que antes, apesar do jejum e da flagelação. Ordenou que os guardas fossem castigados, se não revelassem quem a havia socorrido na prisão.

Para defender a vida dos guardas, Catarina declarou: "Se estou com boa aparência, é porque Aquele que eu confessei diante de ti dignou-se alimentar a mim com pão celestial". Mais irritado ainda, Maximino Daia acusou-a de feiticeira, e ordenou que fosse torturada e assassinada.

A caminho do suplício, Catarina converteu a muitos que insistiam com ela para que atendesse aos desejos do imperador. Foi então que um alto funcionário da corte teve uma ideia diabólica.

Ele foi ter com o imperador e propôs que Catarina fosse condenada ao suplício da máquina com facas e pontas de ferro em quatro grandes rodas que, ao se movimentarem em sentidos diversos umas das outras, despedaçariam o corpo colocado no meio delas.

A máquina foi colocada na praça pública e Catarina foi trazida para o local. Enquanto preparavam o suplício, Catarina permaneceu tranquila, em oração.

Ao terminar a oração, eis que um anjo desceu do céu num turbilhão e quebrou a máquina com tal ímpeto, que os pedaços se projetaram sobre os algozes. Algumas pessoas morreram atingidas pelos pedaços das rodas, e outras, pelo raio. Por esse motivo a Roda Quebrada passou a ser o símbolo de Santa Catarina de Alexandria. Após este acontecimento, Catarina retornou à prisão.

A imperatriz foi ter com seu marido e lhe disse: "Por que lutas contra o Senhor, meu Deus? É uma loucura te ergueres contra o Criador! Pensas que terás êxito? Reconhece, ao menos agora, nas rodas quebradas, o poder do Deus dos cristãos".

Irritado por ver que sua esposa professava a fé em Jesus Cristo, ordenou aos carrascos que a levassem ao lugar do suplício para ser castigada. Na manhã seguinte o imperador ficou sabendo que o general Porfírio e seus soldados haviam retirado a imperatriz do sofrimento, e a teriam levado para seus aposentos.

Alguns dias depois, o imperador Maximino Daia pediu que lhe trouxessem Catarina e lhe disse: "Embora sejas mais culpada do que todos aqueles que, seduzidos por teus feitiços, por tua causa, incorreram à sentença de morte, todavia, se te arrependeres e ofereceres incenso aos nossos deuses onipotentes, tu poderás reinar feliz conosco e ser nomeada a primeira-dama em nosso império".

Catarina desprezou as promessas do imperador e lhe declarou ser fiel a Jesus Cristo. Maximino Daia então ordenou que fizessem Catarina sair de sua presença e que fosse imediatamente decapitada.

Quando Catarina se dirigia ao lugar do martírio, viu a multidão que a seguia e que muitos choravam. Disse-lhes: "Se alguma piedade natural vos comove a meu respeito, peço-vos: alegrai-vos comigo, pois vejo Nosso Senhor Jesus Cristo que me chama. Ele é a soberana recompensa dos Santos, a beleza e a coroa das Virgens".

Pediu ao carrasco que lhe desse tempo para orar. Após a oração Catarina estendeu o pescoço e disse ao algoz: "Eis que Nosso Senhor Jesus Cristo me chama! Faze o que tens a fazer!". Então, de um só golpe, o algoz decepou-lhe a cabeça.

Os restos mortais de Catarina foram levados para o pico mais alto do monte Sinai, e lá entregues aos monges onde até os dias atuais permanecem.

Esse pico passou a chamar-se “Monte Katharin”. No século VI, o imperador Justiniano ordenou a construção da Igreja e do Mosteiro de Catarina, no monte Sinai. A veneração a Catarina de Alexandria teve novo impulso quando o seu corpo foi descoberto no Monte Katharin, no século VIII.

Os monges o colocaram em caixa de ouro. Atualmente, estas relíquias se encontram num sarcófago de mármore, na Igreja do Mosteiro de Catarina.

“

O Senhor é o meu pastor, nada me faltará. Deitar-me faz em verdes pastos, guia-me mansamente a águas tranquilas. Refrigera a minha alma; guia-me pelas veredas da justiça, por amor do seu nome. Ainda que eu andasse pelo vale da sombra da morte, não temeria mal algum, porque tu estás comigo; a tua vara e o teu cajado me consolam. Preparas uma mesa perante mim na presença dos meus inimigos, unges a minha cabeça com óleo, o meu cálice transborda. Certamente que a bondade e a misericórdia me seguirão todos os dias da minha vida; e habitarei na casa do Senhor por longos dias.

”

(Salmos 23:1-6)

Galéria Valéria

Na masmorra.

– Lamento, senhorita, ser eu o condutor de vossa tragédia.

– O que chamas tragédia é, para mim, o encontro com o meu destino, e acima de tudo a vontade do Pai Celestial – diz Catarina.

– Mas minha senhora, eu não posso suportar sua morte; isso, para mim que já derramei muito sangue em batalhas, agora se torna sofrimento em meu coração – diz Porfírio, consternado com os acontecimentos.

Porfírio é um dos generais, e o responsável por toda a guarda de Maximino Daia. Bravo general, vencedor de diversas batalhas em nome do Império Romano, homem astuto, inteligente e querido por todos da tropa. Mas que, após ouvir as pregações e os ensinamentos de Catarina de Alexandria, converteu-se ao Cristo Jesus. Embora impossibilitado de auxiliar a pequena menina, sente-se muito mal ao ver tamanha injustiça que está sendo cometida a Catarina.

Em seu coração permanece um sentimento de impotência, e de tristeza, muito profundo em não poder ajudar a pequena menina, mas nada pode fazer para livrar Catarina de tamanho sofrimento e de seu martírio.

Catarina, percebendo toda a tristeza que está em seu nobre amigo, diz:

– Porfírio, não fique assim, estais no lugar que nosso mestre amado Jesus determinou. Cumpra sua missão que agora se inicia, muitas coisas ainda terás que fazer em nome de nosso Deus.

Comovido com as palavras de Catarina, Porfírio ajoelha-se aos pés da menina e diz:

– Menina Catarina, eu lhe agradeço por colocar em meu coração tamanha sabedoria, e prometo-lhe que se ainda houver alguma coisa que possa fazer em nome de Deus, eu o farei. Diga-me algo que eu possa fazer para ajudá-la.

– Tenha calma, Porfírio, inicia-se agora sua missão para com o Cristo Jesus. Suas provas serão difíceis, mas sua fé será o instrumento que o levará aos céus.

– O que tenho que fazer, Catarina?

– Você deverá procurar por Valéria, viúva de Galério, e é a ela que tens que socorrer.

Surpreso com a determinação de Catarina, Porfírio pergunta:

– Mas minha senhora, Galério está vivo. O que poderei fazer por ela? Pelo que sei até o momento, Valéria é uma mulher feliz ao lado de Galério.

– Sim, eu sei disso, mas não passará o tempo em que ela irá precisar de sua ajuda, pelas maldades de Maximino Daia, que muito sofrimento imporá à sua vida.

– Confio em ti, Catarina, e se é esta sua determinação, assim o farei. Mas confesso, estou assustado com esta revelação.

Forte pancada se ouve na porta principal da parte inferior do castelo.

– Vá, Porfírio, não deixe que o carrasco o veja comigo.

– Sabe, Catarina, tenho vontade de me rebelar e salvar-lhe deste martírio.

– Não é isso que está escrito. Que se cumpram as vontades de nosso Deus, verdadeiro e amoroso.

– Mas senhora...

– Vá, Porfírio, vá agora!

– Sim, senhora.

Com o olhar triste e lacrimoso, Porfírio despede-se de Catarina de Alexandria.

Logo o carrasco adentra as masmorras para buscar a menina Catarina, que ali cumpre as últimas horas de seu destino.

Porfírio cobre o rosto com sua capa vermelha e afasta-se da pequena cela em que é mantida Catarina, sem que o carrasco perceba sua presença.

Consternado com os acontecimentos e revelações, impossibilitado de ajudar a menina Catarina, Porfírio vai até a adega para tomar uma bebida e tentar aliviar a tristeza que toma conta de seu coração.

Ao entrar, Porfírio observa que no canto direito do ambiente há vários homens reunidos, e também transtornados com a notícia da condenação de Catarina. Porfírio aproxima-se demonstrando muita tristeza em seu coração.

– Olá, amigos! Perdoem-me, mas sinto-me incapacitado de ajudar a menina Catarina; apesar de meu cargo no alto comando das fileiras romanas, nada posso fazer.

Impressionados e preocupados com a presença do general, eles ficam acuados sem saber o que fazer. Logo um rapaz aproxima-se, estendendo-lhe a mão direita, cumprimentando-o.

– Compreendemos, senhor – diz um rapaz moreno alto de cabelos longos, que estendendo suas mãos carinhosamente, cumprimenta o guarda real.

– Venha sentar-se conosco – convida o novo amigo.

– Posso sentar-me com vocês?

– Sim, claro, todos estão partilhando a mesma dor.

– Vocês me parecem boa gente, eu é que estou envergonhado de estar aqui. Perdoem-me pelo que vai acontecer a Catarina, nada pude fazer, e nada posso fazer. O que é pior para mim.

– Qual o seu nome?

– Me chamo Porfírio, vejo que o jovem nunca ouviu falar de mim.

– Sou novo por estas bandas.

– Entendo.

– Qual o seu nome?

– Me chamo Rodrigo.

– Olá, Rodrigo! Nosso imperador passou dos limites. Determinou a morte da menina Catarina, tão jovem. Santo Deus!

– Nós sabemos que Catarina tem que passar por este martírio, e nada podemos fazer – diz Rodrigo, tentando consolar o mais novo amigo.

– Não acho justo o acontecimento; só porque ela é uma mensageira do bem, não merece morrer desta forma. É muita maldade o que estão fazendo com ela.

– Compreendemos, senhor, mas podemos fazer ainda muito mais por ela.

– Como assim? – pergunta Porfírio, assustado.

– Preciso dos restos mortais de Catarina para levá-los à península mais alta do Sinai.

– Como assim? Por que queres fazer isso?

– São determinações da espiritualidade que tenho que seguir.

– Perdoe-me, mas não estou entendendo muito bem o que queres de mim. O que queres que eu faça?

– Fui visitado por anjos do Senhor Jesus que me pediram para fazer isso, levar os restos mortais de Catarina para a península mais alta do Sinai.

– Você teve a visita de anjos? Explique-me isso.

– Sim, fui visitado por anjos celestiais que me pediram isso.

Uma alegria inexplicável atinge fortemente o peito do general Porfírio.

– Isso não é problema para mim, consigo pegar para você os restos dela, poucos irão se importar com o que foi feito.

– Consegues fazer isso por nós?

– Sim, encontre-me no portão lateral lá pela meia-noite, que lhe passarei os restos da menina. Esse é o horário ideal para tirar o corpo dela de lá, é a hora em que todos os soldados estão dormindo, e ainda há a troca da guarda.

– Então estamos combinados assim – diz Rodrigo, animado.

– Agora não fiquemos tristes, nós acreditamos na vida eterna, e sendo assim, o que morre hoje é o corpo de Catarina, porém seu espírito irá habitar na eternidade as esferas mais sublimes da perfeição de Deus.

– Sim, em suas pregações Catarina nos diz da vida eterna.

– Acredite, é assim a lei de Deus. Nada se perde, tudo continua.

– Acredito sim, Rodrigo, fui convencido por ela que Deus é misericordioso e que nada se perde.

Rodrigo levanta-se do pequeno banco de madeira em que estava sentado, e estendendo a mão, cumprimenta novamente Porfírio, despedindo-se.

– Agora tenho que ir e organizar com meus amigos o encontro com o senhor na hora combinada.

– Que amigos são esses? Cuidado... Eles são de sua confiança?

– O Felipe e a Nina. Nós somos amigos de toda a família de Catarina.

– Ainda bem que são poucos. Tenha cuidado ao andar pelas ruas, a fúria do imperador está a prender e torturar todos os cristãos.

– Fique tranquilo, confio em Deus, e não ando sozinho.

– Como assim?

– Temos anjos guardiões que nos acompanham a todo momento; e meu amigo do mundo espiritual está sempre ao meu lado guiando meus passos. Chamo-o de mentor espiritual.

– Confie então nele, e tudo vai dar certo hoje à noite.

– Confio sim, senhor, e tenho certeza que irei cumprir minha tarefa com honra – diz Rodrigo.

– Bom menino você, Rodrigo! Encontro-o à meia-noite.

– Obrigado, senhor!

– Vá em paz! – diz Porfírio.

Virando-se para os demais, Rodrigo despede-se de todos dando um até breve.

Os presentes saúdam o amigo que parte ao encontro dos demais para organizarem a retirada do corpo de Catarina. Apesar da dor, todos se sentem aliviados com as notícias da eternidade que Deus reservou para a doce menina Catarina de Alexandria.

Porfírio, em um gesto costumeiro, chama para perto o atendente e oferece uma rodada de bebidas para todos que estão na pequena, mas aconchegante taverna.

Todos bebem o vinho da tristeza da morte da menina Catarina de Alexandria.

Sábio é aquele que se entrega inteiramente ao seu Senhor, honrando-o por todos os dias.

Catarina de Alexandria

25 de novembro de 305.

Na praça central em frente ao castelo, Maximiano mandou torturá-la com rodas equipadas com lâminas cortantes e ferros pontiagudos. Com os olhos elevados ao Senhor, Catarina rezou e fez o sinal da cruz. Então, ocorreu o prodígio: o aparelho desmontou. O imperador, transtornado, levou-a para fora da cidade e comandou pessoalmente a sua tortura, depois mandou decapitá-la. O carrasco impiedosamente desfere, em um só golpe, o machado, separando a cabeça de Catarina de seu corpo.

Consternada, a população clama pela vida da pobre menina, e alguns oram aos céus pedindo por Catarina de Alexandria, que assim passa a ser chamada por todos. Maximino assiste a tudo sem demonstrar nenhuma piedade por Catarina.

Logo tudo está encerado, a morte está confirmada. Os restos mortais da jovem e devotada menina são levados pelos soldados para o porão do castelo.

Após alguns drinques, Porfírio volta à masmorra com dois soldados, põem em um saco grande de lona azul os restos mortais da menina, primeiro o corpo, e depois a cabeça, que misteriosamente tinha pouco sangue derramado.

Grande alvoroço está instalado nas dependências do Castelo.

– Chamem-me o carrasco! – ordena Maximino Daia.

– Sim, senhor!

Rapidamente oito soldados trazem à presença do imperador o carrasco.

– Terminou o serviço?

– Sim, meu querido imperador.

– Esquartejastes o corpo de Catarina?

– Sim, senhor!

– E onde estão os restos dela?

– No calabouço, senhor.

– Então queime-os para que não sobre nada desta que dizem ser uma cristã.

– Sim, meu senhor, farei isso.

– Faça-o imediatamente.

– Sim, senhor!

– Podes ir – diz Maximino, acenando com a mão direita, indicando as portas da nobre sala real.

O carrasco dirige-se ao calabouço e encontra Porfírio juntando o corpo da menina. Assustado com a cena, ele logo tenta interferir e avisar Porfírio da decisão do imperador.

– Senhor Porfírio, recebi ordens do imperador para queimar os restos mortais da menina cristã.

– Não irás fazer isso. De forma nenhuma permitirei que os restos de Catarina sejam queimados.

– Mas senhor, é uma ordem direta. E ele quer ver a fumaça do corpo em chamas.

Dirigindo-se a um soldado que está ao seu lado, Porfírio ordena:

– Marcos, vá até o curral e pegue dois carneiros!

– Sim, senhor!

– O que pretendes fazer com os carneiros? – pergunta o carrasco.

– Vamos matá-los e queimá-los no lugar dos restos da menina.

– Mas, e se o imperador descobrir...

– Mato ele. – E se você não calar a sua boca, quem morre agora é você – diz Porfírio, levando a mão sobre a espada.

– Tudo bem, sem problemas. Vamos desossar os carneiros e queimá-los. Não fique bravo, vou ajudá-lo na tarefa.

– Obrigado, mas não percamos tempo em desossar.

– Sim, senhor!

– Vamos rápido.

– Vou acender o fogo e esperar Marcos com os carneiros.

– Faça isso, que ganharemos tempo.

– Pode deixar, Porfírio, faremos assim.

– Vamos rápido, está quase na hora de entregar o corpo dela ao Rodrigo.

– Quem é esse Rodrigo, senhor?

– Não interessa, o que interessa é que se cumpram as ordens de Deus.

– Sim, senhor, faremos assim.

E assim, os carneiros serviram de despiste para que o imperador sentisse o cheiro de carne queimada, dando por fim seu intento.

E assim Porfírio cumpre o combinado e entrega a Rodrigo, Felipe e Nina os restos mortais de Catarina.

“

Dai, pois, a César o que é de César, e a Deus o que é de Deus.

”

(Mateus 22:21)

Em 311 d.C.

A notícia corre por toda a corte: aos 51 anos de idade, morre Galério Maximiano em seu palácio, em Nicomédia.

Casado pela segunda vez com Galéria Valéria, que não teve filhos, adotou e criou Candidiano como sendo seu filho, dando a ele muito amor e carinho.

Pai adotivo de Maximino Daia, Galério Maximiano era de uma personalidade orgulhosa, porém dinâmica. Seu reino se caracterizou por várias obras de utilidade pública, como a drenagem dos pântanos entre os rios Drave e Danúbio, e a devastação de várias áreas de floresta.

Galério foi um dos auxiliares de Diocleciano, tendo participado da formação da tetrarquia (divisão do poder entre pessoas), e Diocleciano continuou mantendo certos poderes privativos, ficando acima de seus comandados.

Dentre estes estava Galério, que teria como obrigação controlar a sua parte do Império Romano.

Após sua morte, Valéria tem o intento de ir ao palácio à procura de Maximiano Daia, embora este nem tenha vindo à cerimônia de cremação de seu pai. Deseja viajar para pedir-lhe conselhos, ajuda e proteção.

– Vamos, mãe, vamos falar com o imperador! – insiste seu filho Candidiano.

– Vamos amanhã, pois estou muito cansada e triste com a morte de seu pai – diz Valéria.

– Não podemos deixar passar muito tempo. Há a necessidade de estarmos perto do poder de Roma para nos manter estabelecidos na sociedade – diz Candidiano.

– Compreendo sua angústia, meu filho, mas realmente preciso me refazer dos acontecimentos.

– Sim, minha senhora, respeito seus sentimentos e confesso ainda me sentir abalado com a morte de meu pai.

– Verdade, meu filho, um grande homem! Só não consigo compreender a distância que existe entre ele e seu filho Maximino Daia.

– Ah mãe, Maximino é um homem muito ocupado.

– Sei disso, meu filho, mas também é um homem impiedoso e mau.

– Não será assim conosco que somos de sua família.

– Não tenho certeza disso, mas de qualquer forma precisamos de sua orientação, afinal quem irá governar esse lado da cidade?

– Por isso temos que ir logo conversar com ele, quem sabe ele não lhe ordena como governadora dessa província?

– Meu filho, não há espaço para as mulheres no Império Romano. Não se iluda.

– Mas temos que nos preocupar com nossa segurança, mamãe.

– Também preciso da segurança de Roma, fique tranquilo que iremos amanhã.

– Obrigado pela compreensão, querida mãe.

– Descansemos, e amanhã iremos ao palácio.

No dia seguinte, como combinado, a comitiva é recebida pelo imperador Maximino Daia, em seu luxuoso castelo, na cidade de Alexandria. Após todas as honras, são recebidos em uma ampla sala, onde Maximino despacha, ladeado por seus generais e nobres da corte.

– Bons dias, nobre Imperador!

– Bons dias, Valéria, que bom vê-la por aqui!

– Querido amigo, venho buscar-lhe para pedir sua proteção, ajuda e aconselhamentos para seguirmos adiante em nossas vidas, após a morte de seu pai.

– Como vai, caro Candidiano? – diz o Imperador dirigindo-se ao irmão de criação.

– Vou bem, nobre amigo, apesar da tristeza que se abate sobre nossa família, com a morte de nosso pai.

– Sinto que posso muito lhes ajudar. Agora Roma terá que determinar outro imperador para a região em que governas – diz Maximino.

– E essa escolha é minha.

– Sim, e é por isso que estamos a lhe procurar para solicitar vossa ajuda e proteção – diz Valéria.

– Sabes que os poderes que a mim foram dados são estendidos a várias regiões, e farei o que for possível para ajudá-los em vossa nova vida. Desculpem-me a ausência no funeral de meu pai, mas como sabes, são muitos os afazeres que me obrigam a permanência em Alexandria.

– Muito agradecida, nobre Imperador, pela vossa preocupação, compreendo vossa ausência – diz Valéria.

– Em breve lhes mandarei notícias sobre que posso fazer para mantê-los sob a tutela de Roma. Afinal, Galério era também meu pai, e sendo assim, todos somos familiares, e tenho por obrigação acolher e ajudá-los a seguir em suas vidas.

– Agradecemos sua atenção e carinho.

– Agora vão, que em breve receberão notícias minhas.

– Sim, meu senhor. Obrigada por sua atenção dispensada.

Valéria retira-se do palácio e volta para suas terras à espera de notícias do imperador.

Após alguns dias, Maximino Daia envia-lhe um embaixador, que leva uma mensagem escrita solicitando-a em matrimônio, com a promessa de repudiar sua esposa, se ela aceitar.

Após ler a mensagem atentamente e usando de toda a franqueza, Valéria escreveu-lhe a única resposta que podia para tamanha insensatez, e entregou-a ao viajante que aguardava sua resposta:

Prezado Maximino Daia, em primeiro lugar, gostaria de lhe informar que não posso falar de matrimônio, ainda vestida de luto e estando ainda quentes as cinzas de meu esposo, que era por sua vez seu pai; em segundo lugar, desejo informar-lhe que não deves agir com impiedade ao repudiar sua fiel esposa, e isso é, sem dúvida, uma prova de que faria também o mesmo comigo; por último, desejo que saibas que é um sacrilégio contrário aos nossos costumes e sem precedentes, que uma mulher de minha classe e posição, tomasse um segundo marido, ainda mais sendo o nobre imperador filho de meu tão amado esposo.

Galéria Valéria

O embaixador então guardou em uma pequena pasta de couro de cabra a resposta escrita por Valéria, e voltou ao palácio de Maximino.

Após entregar-lhe o pequeno bilhete, Maximino tem uma reação muito comum às coisas que o contrariam.

Sua concupiscência se converte em cólera e furor. Decreta imediatamente a proscrição de Valéria e determina aos soldados que se apoderem de seus bens. Ordena que lhe retirem sua comitiva e manda assassinar em tormentos seus eunucos. Enfurecido, Maximino condena à morte as amigas de Valéria, sob o pretexto de adultério.

No ambiente, presenciando toda a fúria do imperador romano, estava Porfírio, que assiste a tamanho descalabro, e decide ajudar a nobre mulher a fugir, antes que os soldados cheguem à sua propriedade.

Muito transtornado e desejando o fim de tamanha maldade, Porfírio decide abandonar sua farda e deixar de lado todos os títulos e o cargo que muito lhe dava destaque e segurança, dentro das fileiras romanas.

Seguro e decidido, Porfírio lembra-se das palavras de Catarina, que lhe dizia que ele ainda tinha uma grande missão pela frente com Jesus.

Corre até seus aposentos, retira sua farda, junta algumas roupas e armas. Pegando seu cavalo, põe-se em galope para a propriedade de Valéria.

Galopando rapidamente, chega após alguns dias, à propriedade de Valéria.

Valéria está sentada na confortável sala junto de sua mãe, Prisca, quando a governanta chega ansiosa e pede autorização para lhe falar:

– Senhora Valéria, com licença, um soldado romano deseja falar-lhe. – diz a empregada, assustada.

– Quem é, Nilce?

– Não sei, senhora, só sei que pelas vestimentas não parece um soldado romano; mas ele insiste que é um soldado, e deseja falar-lhe urgentemente.

Algo incomum acontece no coração de Valéria, que começa a palpitar. Um misto de medo e prazer, algo nunca sentido por ela.

– Faça o seguinte: avise a Candidiano que temos visitas, mande-o ficar ao meu lado, e depois mande-o entrar.

– O que será que um soldado romano quer com você, filha?

– Não faço ideia, mamãe.

– Isso deve ser coisa de Maximino – diz Prisca, preocupada.

– Será?

– Esse imperador é louco, filha! Já lhe alertei sobre ele, ainda mais depois daquela carta que você mandou para ele, tudo é possível.

– Mamãe, ele pode até ser louco, mas não vai fazer nada de pior conosco, fique tranquila.

– Não confio nele.

– Vá, Nilce! Faça o que lhe ordenei.

– Sim, senhora.

Após alguns minutos.

– Senhor, a senhora Valéria pediu-me para avisar que o senhor já pode entrar.

Apressadamente, Porfírio entra no amplo salão decorado com tapetes de fino acabamento alaranjados. Uma linda prataria, exposta sobre os grandes móveis entalhados em madeira maciça, embeleza ainda mais o lugar.

Ao centro, um grande lustre desce do teto com velas acesas.

Há confortáveis poltronas cobertas com linho vermelho, onde Valéria e seu filho recebem o inesperado visitante.

Ofegante, Porfírio entra no salão.

– Boas noites senhoras!

– Boas noites, senhor! Sente-se.

– Obrigado, mas o que tenho a falar é urgente e não podemos perder tempo.

– Diz-se ser um soldado romano, mas suas vestes me parecem de um homem comum.

– Sou o chefe da guarda do imperador Maximino, estou a deserdar minhas funções em nome de Deus.

– Eu o reconheço, você estava na sala de audiência quando de nossa visita ao imperador – diz Candidiano.

– Sim, meu senhor, eu estava na sala quando de sua audiência.

– É, mãe, ele realmente é um soldado.

– Mas vamos ao assunto de sua visita, senhor. O que o traz aqui assim tão desesperadamente? E qual é o seu nome?

– Porfírio, eu me chamo Porfírio, senhora.

– Então o que desejas, estando tão longe de seu castelo e de suas obrigações?

– Minha senhora, eu não pude deixar de acompanhar todo o ocorrido entre a senhora e o imperador. O motivo de minha vinda é para alertá-la do ódio que se abate sobre sua família. O imperador determinou que todos os seus bens sejam tomados para Roma, e que a senhora fique a vagar sem lugar fixo, em sofrimento e pobreza.

– Mas como? Ele não pode fazer isso – diz Valéria.

– Pode sim, minha filha, afinal ele é o imperador – diz sua mãe, Prisca.

– Mas por que ele faz isso? Sem ao menos respeitar a memória de nosso pai, que também era pai dele.

– Sente-se, senhor, por favor! – insiste Valéria, indicando com a mão direita um lugar para que Porfírio se sente.

– Candidiano, meu filho, tenho uma coisa muito importante que você precisa saber.

– Diga, mamãe, o que houve?

– Dias atrás, recebi uma comitiva do imperador, que me pedia para casar-me com ele, o que recusei de pronto, pois está totalmente descartado esse tipo de proposta em minha vida.

– Canalha, desgraçado! – diz Candidiano, tomado pelo furor.

– Calma, meu filho, nada podemos fazer sobre os poderes de Roma.

– O que faremos então, mamãe?

Porfírio interrompe a todos.

– Senhora, temos que fugir o mais rápido possível, pois as tropas já estão a caminho, e muito em breve estarão em suas terras.

– Sim, concordo com o senhor, Porfírio, mas mal o conhecemos; e será que podemos confiar no senhor?

– Quando da morte de Catarina, ela me falou da morte de seu marido, e disse-me que minha missão estava a começar junto de vocês. Por isso estou aqui, para protegê-los e manter todos em segurança.

– Foram estas as palavras da menina santa? Mas como assim, por favor, me explique – diz Valéria, assustada.

– Ouvimos falar dela, e de um único Deus – interrompe Candidiano.

– Que menina santa é essa? – pergunta Prisca.

– Catarina de Alexandria – responde Porfírio.

– Sim, ela converteu quase todos do castelo. Com seus argumentos e ensinamentos nos mostra que a existência de deuses como Roma insiste, é impossível, que um único Deus verdadeiro é o que criou todas as coisas, e que existe um mundo espiritual, onde todos um dia se encontrarão, para ajustamentos desta vida.

– Tenho estudado muito isso, querida mãe. Não falei nada por sermos sustentados por Roma, que mantém todas as nossas regalias e conforto, mas agora ouvindo este nobre soldado falando de Deus, penso que devemos segui-lo, para nossa segurança.

– Sim, meu filho, eu acho que esse homem não viria aqui com essa história, se isso não tivesse fundamento.

– Mamãe, eu não conheço esse homem, apenas o vi como general de Maximino. Sinceramente, acho que temos que dar ouvidos às suas palavras e sair daqui o quanto antes.

– Isso mesmo, filha, vamos o quanto antes – diz Prisca.

– Então vamos preparar nossas coisas e partir o quanto antes.

– Mas mãe, você não acha que nós temos que lutar por nossos direitos diante de Roma? – insiste Candidiano.

– Meu amado filho, façamos o que nosso nobre amigo nos solicita, não podemos confiar na sorte.

– Venha, mamãe, vamos arrumar nossas coisas o mais rápido possível.

– E agora, o que faremos? – pergunta Prisca a Porfírio.

– A princípio, vamos fugir dos soldados, depois decidiremos o que é melhor para todos.

– Espere um pouco, amigo, que vamos arrumar algumas coisas – diz Candidiano.

– Não se esqueçam de pegar objetos de valor e dinheiro, se tiverem algum guardado – alerta Porfírio.

– Temos sim algum dinheiro guardado, e vamos levar.

– Estarei no portão à espera de todos – avisa Porfírio.

– Sim, amigo, espere-nos que já iremos.

– Chame os empregados e peça-lhes que nos auxiliem – avisa Valéria.

– Pode deixar, mãe, vou chamar a Nilce.

– Vamos logo.

Maximiano Daia faz executar as matronas romanas, amigas de Valéria.

Havia, na classe dos claríssimos, uma mulher que já tinha netos, dados por seus seus filhos, ainda jovens. Valéria lhe queria como a uma segunda mãe. Maximino então suspeita que Valéria havia lhe dado a negativa, levada por seu conselho. Em consequência, encomenda ao governador de Bitínia que a faça morrer de modo infamante.

Faz morrer, também com ela, outras duas mulheres de semelhante nobreza: uma havia deixado em Roma uma filha como virgem vestal, e fazia parte secretamente do círculo de Valéria; a outra, esposa de um senador, não estava especialmente unida a Augusta.

No entanto, fizeram-se credoras da morte por causa de sua excessiva beleza física e por sua honestidade. As ditas mulheres se veem subitamente levadas à força, não diante de juízes, mas de bandoleiros, pois não havia sequer um acusador. Por fim, encontram-se com um judeu que estava sendo acusado de outros crimes e que, com a esperança de conseguir sua impunidade, declara falso contra as inocentes.

O juiz, pessoa reta e zelosa de seu ofício, leva-o para fora da cidade, protegido por uma escolta, para que não morresse lapidado. Esses trágicos acontecimentos sucediam em Niceia. O judeu é submetido à tortura e declara o que lhe haviam ordenado. Os verdugos tapam a boca das mulheres a socos para que não falem. Ordena-se que sejam levadas ao suplício as inocentes.

Os prantos e lamentações procediam não somente do marido, que estava ao lado de sua benemérita esposa, mas de todos aqueles aos quais havia reunido um fato tão indigno e inaudito. Para que uma revolta popular não as libertasse das mãos de seus verdugos, foi preparada uma escolta de cavalaria, couraceiros e arqueiros em ordem de batalha.

Deste modo, rodeadas de piquetes armados, foram levadas ao suplício.

E se alguns amigos, levados pela compaixão, não as enterrassem furtivamente, teriam ficado estendidas sem receber sepultura, pois toda a servidão se pôs em fuga.

Mas o falsário também não se beneficiou da impunidade prometida, e quando estava atado ao patíbulo revelou todo o segredo; e antes de expirar o último suspiro, atestou diante de todos os que o observavam que haviam sido mortas pessoas inocentes.

“

O bem que praticas em qualquer lugar
será teu advogado em toda parte.

”

Emmanuel

A Fuga

Aproximando-se do portão central da propriedade, em sua carruagem, Valéria encontra-se com Porfírio.

– Vamos, Porfírio, já estamos prontos – diz Valéria.

– Senhora, perdoe-me, mas não iremos muito longe com esta carruagem, logo todos saberão tratar-se de nobreza.

– Mas só temos esta carruagem, e outra dos criados que serve para cuidar das plantações e dos serviços diários da propriedade.

– É essa que temos que usar, pois assim passaremos despercebidos por nossos algozes.

– Meu filho, vá até a cocheira e pegue a outra carruagem.

– Sim, minha mãe.

– Não dispensemos esta, traga algum criado para seguir viagem com esta carruagem em caminho contrário ao nosso.

– Como assim, por que faremos isso?

– Certamente ele será abordado pelos soldados, e isso é, na realidade, um despiste para ganharmos tempo.

– Excelente ideia, Porfírio.

– Vá, Candidiano, e traga outro empregado.

– Sim, trarei um criado.

Após algum tempo, Candidiano volta trazendo uma velha carruagem e um criado de nome Jonas.

– Jonas, troque os cavalos e siga pela estrada ao sul – ordena Porfírio.

– Sim, meu senhor!

– Mas para onde devo ir?

– Vá ao sul, e declaro-lhe liberto – diz Valéria.

– Obrigado, senhora!

– Agora vá, e se encontrar algum soldado, não fale nada sobre nós, invente alguma coisa. Diga que está levando a carruagem para o ferreiro arrumar as rodas.

– Sim, minha senhora, pode deixar, é isso que direi.

– Agora vamos para o lado contrário, vamos para o norte.

– Venha, mamãe, entre logo e vamos seguir os conselhos de nosso amigo.

E assim sua carruagem luxuosa segue para o sul, enquanto Porfírio, Valéria e sua mãe, Prisca, e Candidiano seguem com destino a Constantinopla.

– Senhor, vamos para Bizâncio?

– Sim, tenho alguns amigos e parentes por lá, estaremos seguros próximos aos meus – diz Porfírio.

– Sim, obrigada por sua ajuda.

– Não agradeça a mim, e sim à menina Catarina que me deu esta missão.

– Como assim?

– Antes de sua morte, Catarina pediu-me para protegê-la.

– Mas como ela sabia que tudo isso iria acontecer em minha vida?

– Isso eu não sei lhe informar, mas posso lhe garantir que ela realmente era uma pessoa muito especial.

– Então agradeço a Catarina.

– Sim, temos que agradecer, e muito, a ela.

– Agora fiquemos atentos em tudo ao nosso redor.

– Sim, estaremos atentos.

Após algum tempo viajando...

– Olhem, vem vindo alguém em nossa direção.

– Escondam-se, senhoras, embaixo desta lona!

Rapidamente Valéria e sua mãe se escondem debaixo de uma lona, que era usada pelos empregados, para cobrir os alimentos transportados na carroça.

Dirigindo-se a Candidiano, Porfírio alerta.

– Está vendo? Disfarce. Apenas cumprimente.

É quando o estranho viajante para e cumprimenta Porfírio.

– Boas noites, amigo!

– Boas noites, senhor!

– Está indo em direção a Bizâncio?

– Sim, estamos a caminho.

– Não aconselho esta estrada, há muitos soldados, e estão revistando a todos que passam.

– Agradeço-lhe o aviso, mas não temos nada a esconder.

– Estão à procura de uma mulher que não sei o nome. São ordens do imperador.

– Compreendo, não tenho nenhuma mulher viajando comigo, como podes ver.

– Sim, perdoe-me, mas só tenho a intenção de ajudar.

– Agradeço ao amigo e compreendo suas intenções.

– Obrigado, boa viagem!

– Obrigado, senhor. Boa viagem para você também!

Após algum tempo, Valéria sai de sob a lona e pede que parem a carruagem.

Atendendo a seu pedido, todos param embaixo de uma grande árvore.

– Porfírio, como nós iremos passar pelos soldados?

– Senhora, eu tenho experiência nestes cercos; fique tranquila, que passaremos.

– Não achas melhor desviarmos nosso caminho?

– As estradas vicinais não são apropriadas para nós, há nelas muitos ciganos e saqueadores que fogem do regime do imperador.

– Mas o que iremos fazer?

– Façamos assim: troquem suas roupas por roupas velhas e tentaremos passar despercebidos pelos guardas.

– Não temos roupas velhas, não as trouxemos.

– Espere um pouco, vou pensar em que fazer.

Afastando-se do grupo, caminhando a passos lentos, de cabeça baixa, Porfírio profere uma prece a Catarina de Alexandria, solicitando que ela guie seus caminhos. É uma noite muito escura, e logo todos perdem o amigo de vista.

Prisca interfere e diz:

– Mal conhecemos este homem, e a ele estamos confiando nossas vidas, tens certeza que é isso que devemos fazer? – indaga Prisca a Valéria.

– Minha mãe, nós não temos outra saída. Poderíamos ter ficado em nossa propriedade para nos certificar se ele nos fala a verdade, mas confesso que dentro de mim algo muito estranho aconteceu.

– Como assim?

– Meu coração respondeu a esta pergunta, e ele me diz que devemos seguir Porfírio por onde quer que seja, me diz que devemos confiar nele.

– Olha, filha, e se tudo isso for uma grande mentira que ele e seus comparsas armaram para nos enganar e ficar com tudo que temos?

– Mamãe, deixe de falar bobagens! Imagine se o Candidiano ouve isso?

– Mas pense que isso pode acontecer, nunca vimos este homem em nossas vidas.

– Mamãe, ele estava lá no castelo no dia de meu encontro com Maximino.

– Eu sei.

– Chega, mamãe, por favor, chega!

– Cadê ele? Ele sumiu – diz Candidiano aproximando-se de Valéria.

– Calma, filho! Ele deve estar pensando em uma solução para o nosso problema.

– Vamos manter a calma – diz Prisca.

– Sim, mamãe, vamos manter a calma.

Embrenhado na escuridão, Porfírio espera uma resposta dos céus para decidir o melhor a fazer.

Seus pensamentos retroagem à pequena menina em seu martírio, e ele pede que ela o guie e oriente em suas decisões.

Após alguns minutos andando sozinho, Porfírio decide voltar ao grupo.

– Senhora, vamos por esta pequena estrada à direita.

– Conheces o caminho, Porfírio?

– Não, não conheço, mas é por ele que devemos ir.

– Então vamos logo. Para nós, seguir por estrada principal é muito perigoso.

– Vamos!

– Sim, subam na carroça.

A noite está escura, mas o céu estrelado mostra toda a beleza do Criador. A lua começa a sair, é noite de lua cheia, o que facilitará a caminhada na pequena estrada.

Após algumas horas, todos estão muito cansados e decidem acampar para o descanso necessário a tão longa viagem.

– Candidiano, arrume lenha para fazermos uma fogueira. E a partir de hoje, não mais viajaremos à noite. É muito perigoso. Amanhã, quando todos acordarem, seguiremos por este caminho, mas somente durante o dia. Agora estamos bem distantes de todos, inclusive dos soldados que não andam por estas bandas.

– Sim, senhor!

Candidiano sai à procura de lenha, quando Valéria se aproxima de Porfírio, que tira os arreios dos cavalos, para levá-los a pastar e descansar.

– Porfírio, gostaria de lhe agradecer imensamente por tudo o que tens feito por mim e por todos nós.

– Senhora Valéria, como já lhe falei, sigo as orientações da menina Catarina, que me disse para cuidar da senhora.

– Como pode uma menina que nunca vi e nem ao menos conheci, se preocupar e cuidar assim de mim?

– Disse-me ela que nossa missão é divulgar as palavras de Jesus por toda a Terra, e que minha missão só estava começando.

– Fico impressionada com a atitude dessa menina. Quanto amor em seu coração por uma pessoa que nunca conheceu, e nem ao menos ouviu falar!

– Ela me disse que Deus é assim, e que não podemos refutar as vontades do Criador; disse que tudo tem um motivo. E que o maior tesouro que podemos guardar é o amor em nossos corações, e dividir este amor para com nossos semelhantes. Eu compreendi perfeitamente a mensagem desta menina que tocou profundamente meu coração.

– É, vejo que você mudou muito, deixou para trás sua farda, seu posto e suas honrarias, simplesmente para ajudar seu semelhante. Isso me toca profundamente. Começo a acreditar que ela tem razão, pois não fosse você, todos nós estaríamos agora mortos pelo cruel imperador.

– Homem frio, sem sentimentos, covarde – diz Porfírio mudando totalmente sua fisionomia, que agora em vez de bela, torna-se rude.

– Não fique assim, Porfírio, ele não merece isso de nós. E além do mais, você tem uma nobre missão pela frente.

– Verdade, Valéria, foi isso que me motivou a largar tudo e seguir os ensinamentos da menina Catarina.

– Se é assim, meu amigo, que Deus a proteja e a tenha em seus braços neste momento.

– Podes ter certeza que ela está cuidando de nós nesta jornada que se inicia, e que nos protegerá a todos.

Prisca aproxima-se após ouvir a conversa.

– Minha filha, agradeça de coração a este nobre homem que nada quer de nós, simplesmente é um homem bom e merece todo nosso carinho e respeito.

– Obrigado, senhora!

– Nós é que temos de lhe agradecer.

– Bom, agora que estamos juntos e seguros, vamos descansar para uma nova jornada amanhã.

– Durmam e descansem, que ficarei de guarda para o bom descanso de todos.

– Deixe que eu vigie, descanse você, amigo – diz Candidiano trazendo um punhado de lenha em suas mãos.

– Sou treinado para isso. Descansem – insiste Porfírio.

Todos se arrumam para descansar. A roupa nobre agora serve de cama e coberta para o descanso.

– Mamãe, o que a fez mudar de ideia com relação a Porfírio?

– Como assim?

– Há pouco você dizia que não podíamos confiar cegamente nele.

– Sabe, minha querida filha, conhece-se um homem pelo seu caráter e não por sua aparência. Pensei direitinho e vi que este rapaz é um homem que merece todo o nosso respeito e admiração.

– Que bom que você acordou, mamãe!

– Deixe de bobagens e vamos tratar de dormir, teremos um longo dia pela frente.

– Vamos sim.

– Boa noite, filha!

– Boa noite, mamãe!

Ao longe, Porfírio observa uma pequena luz fraca, embora distante. E decide averiguar do que se trata.

Caminha até o ponto de luz dentro da escuridão e chega a uma pequena propriedade.

Atentamente, observa que todos estão dormindo. Sorrateiramente vai até o varal onde roupas simples estão estendidas e recolhe algumas peças que muito lhe serão úteis durante a viagem. Entra numa pequena despensa e retira de lá alguns alimentos que serão necessários para todos.

A noite passa lentamente, e logo ao amanhecer todos são acordados. O café já está pronto.

– Bons dias, senhoras!

– Bons dias, Porfírio!

– Olha mãe, temos café!

– Sim, já providenciei. Tomem seu café e troquem suas roupas por essas que estão no fundo da carroça.

– Que roupas são estas? E como você arrumou café?

– Peguei emprestadas com uns amigos que passaram por aqui durante a noite.

– Mas são roupas velhas!

– É isso que temos que usar nestas estradas. Por favor, coloquem e vamos seguir em frente.

– Mãe, não vamos discutir com nosso amigo, coloque as roupas e vamos logo.

– Apague a fogueira, Candidiano, por favor!

– Pode deixar.

Após arrumarem tudo e trocarem suas roupas, todos estão prontos para seguir em viagem.

– Vamos em frente.

Os cavalos já foram alimentados durante a noite por Porfírio, e todos agora seguem pela estrada barrenta.

Após todo o dia de cavalgada decidem parar perto de um riacho para alimentar-se e descansar.

– Vamos parar aqui e descansar – diz Porfírio.

– Sim, meu senhor!

Os animais são desatrelados da carroça e alimentados por Candidiano, que agora está mais integrado e resolve ajudar.

– Senhor Porfírio, posso banhar os animais?

– Sim, faça isso, eles estão cansados.

– Obrigado, senhor!

Candidiano desatrela os animais e leva-os ao riacho para banhá-los.

Prisca providencia alimento para todos. E aproxima-se de Porfírio para avisá-lo de que os alimentos estão perto de acabar.

– Senhor, temos que comprar alimentos para seguirmos nossa viagem.

– Sim, minha senhora, mas ainda não encontramos uma viva alma nesta estrada. Espero amanhã encontrar algum vilarejo onde possamos comprar alimentos, e quem sabe, repousarmos em uma bela cama (risos).

O ambiente de viagem é o melhor possível, e o medo do imperador já está esquecido pelos viajantes. Todos estão animados com o novo destino e a nova vida.

Valéria, Prisca e Candidiano ouvem atentamente os ensinamentos do Cristo, que Porfírio lhes passa durante a noite, antes de dormirem. Ele fala com muito entusiasmo da menina Catarina e de seus ensinamentos. Todos passam a acreditar na existência de um só Deus, que criou tudo e que cuida de seus filhos sem descansar em nenhum momento, e que trabalha incansavelmente para a perfeição moral de todos. Embora não tendo muito conhecimento sobre as leis de Deus, Porfírio esforça-se para passar para todos tudo o que Catarina havia lhe falado.

Muito felizes, agora nem pensam em voltar atrás. A vida de conforto e segurança junto aos romanos fica esquecida. E a felicidade é a rotina de todos.

A noite cai lentamente. O céu estrelado inspira Porfírio a passar a todos mais algumas mensagens de Catarina. Sentados em volta da pequena fogueira, todos ouvem atentamente os ensinamentos do amigo Porfírio.

– Catarina me falava, em sua prisão, que Jesus veio à Terra para ensinar o caminho que todos deverão seguir.

– Que caminho é esse? – perguntou Valéria.

– Catarina me disse que o caminho da humanidade é o caminho da aceitação e da transformação de todos. Disse-me que todos os nossos gestos devem ser transformados em amor ao próximo. Disse-me, ainda, que o mais importante é amar sem limites. Amar as coisas criadas por Deus, para o conforto de todos nós, e que a evolução moral é o mais importante para o Pai. Falou-me ainda, que o sofrimento e a vinda de Jesus foram para provar que o amor incondicional ao Pai Celestial é o mecanismo que nos levará à vida eterna em perfeição. Disse-me mais: que só o amor sincero e verdadeiro conta para nossa evolução. Que a mentira e o desamor devem ficar de lado, e que o Mestre não veio destruir a lei, mas sim, fazê-la cumprir. Disse-me que nós fomos criados simples e que nossa evolução é a meta do Pai Criador. Falou-me que o mundo precisa ser evangelizado com as palavras de Cristo Jesus. Que seus ensinamentos são para que nós possamos melhorar. Sabe? A menina Catarina mais parecia uma deusa falando do bem. Acho que se Roma tivesse que adorar alguém, esse alguém seria a menina Catarina, que com sua bondade e perseverança converteu muitos dos nossos a acreditar nesse Jesus amoroso e bondoso.

– Pena eu não ter conhecido essa menina! – diz Valéria com o coração tocado e os olhos marejados com as palavras confiantes do amigo Porfírio.

– Agora descansemos, porque teremos um longo dia pela frente.

– Mas eu gostaria de saber um pouco mais desse Jesus – suplica Prisca.

– Fale-nos mais, Porfírio – insiste Candidiano.

– Sim, falarei: Catarina me disse que Deus, em sua perfeição, quer que todos os seus filhos sejam perfeitos como era Jesus, e disse que a evolução é necessária a todos os espíritos criados por ele.

– Espíritos, como assim? – pergunta Valéria.

– Espíritos. Ela diz que todos nós somos espíritos criados por Deus para a perfeição. E que Deus criou lugares especialmente preparados para nos receber quando sairmos daqui.

– Sairmos daqui? Como assim?

– Ela me disse que quando a gente morre, vamos para um lugar parecido com uma cidade, igual a que temos aqui, e que lá somos recebidos por nossos ancestrais; e eles são os que nos auxiliam a seguir em frente em nossa jornada evolutiva.

– Quer dizer que existe outra vida além desta vida?

– Isso mesmo! Ela me disse que a vida continua em outros planos espirituais criados por Deus para acolher todos os seus filhos. Disse e me convenceu que tudo isso é verdade.

– Como ela conseguiu lhe convencer?

– É só pôr a cabeça para funcionar. Pense: como tudo isso foi criado? Por que foi criado? Para que foi criado?

– E por que, para que? – pergunta Valéria, ainda mais curiosa.

– É simples, me disse ela: a vida não se resume a esta vida, se fosse só essa vida, não precisaríamos ter um Deus.

– Faz sentido – afirma Prisca.

– E como faz! – prossegue Porfírio. – Imaginem se não houvesse uma força criadora sobre tudo o que temos, sobre tudo o que somos, e sobre tudo o que vivemos. Não teria sentido existirmos.

– É verdade. Mas por que Deus fez isso?

– Ela me disse que Deus está, na verdade, nos preparando para um mundo muito superior a tudo isso aqui. Disse que nossa vida atual nada mais é do que uma vida preparatória para as vidas futuras.

– Vidas futuras... O que será isso?

– Catarina era tão meiga com suas palavras, que sinceramente não sei se serei entendido por vocês; mas ela me disse que existem diversos mundos espirituais fora de nossa imaginação. E que Deus é tão perfeito, que nenhum de nós conseguirá imaginar o que ele guardou para seus filhos.

– Isso quer dizer que existem outros reinos? – pergunta Candidiano.

– Sim, reinos perfeitos, cheios de amor e ternura.

– Mas será que existem lá imperadores e reis?

– Candidiano, ela me disse que existem sim espíritos evoluídos que administram essas terras, mas não é da forma que estamos acostumados a ver aqui.

– Como será?

– Ela me contou que nesses lugares estamos desprendidos do corpo físico, e que tudo se torna muito diferente quando não estamos mais presos a essa forma.

– Imagina, viver sem corpo! Como você quer que eu acredite nessa tolice? Sinceramente, mãe, não dá para acreditar nisso.

– Acho melhor você calar a boca, Candidiano, e prestar atenção nos ensinamentos que Porfírio está nos dando.

– Mas mãe, viver sem corpo... Como pode isso?

– Olha, Candidiano, eu também fiquei com essa dúvida; e parecia que Catarina lia meus pensamentos. E ela me disse assim: "Porfírio, quando você dorme à noite, ou durante o dia, você tem controle total sobre seu corpo?" Eu disse: por que você me pergunta isso? Ela falou que, "com o tempo, você aprende a conhecer as pessoas por dentro. Eu, apesar de pouco tempo a seu lado, consigo lhe enxergar por dentro, e sei que você não está acreditando muito em tudo o que estou falando, por isso lhe faço esta pergunta".

Mas parecia uma bruxa a Catarina, porque realmente eu não estava acreditando em tudo. Aí ela me falou: "responda a minha pergunta: quando você dorme, você tem controle sobre seu corpo? Você tem certeza que vai acordar?". Eu falei que não, aí ela prosseguiu: "quando você dorme, na realidade, você tem um instinto que vai acordar, não é isso?". Eu disse sim, ela então prosseguiu: "isso se chama Deus, que diz, e prova, a todos os seus filhos, que todas as vezes que você fechar seus olhos, seja para o descanso do corpo físico, seja para o descanso espiritual, todos os sonos de sua vida, você irá acordar de novo. Pode ser aqui, como pode ser na vida espiritual. Não existe sono eterno, todo sono tem uma duração determinada por Ele que tudo vê e tudo controla; assim, todos os que dormem o sono da morte, acordam para uma nova oportunidade, para um novo dia, seja ele aqui ou na vida espiritual. Acordam para uma nova vida". A partir dessa explicação, não tive como não acreditar nas palavras dela.

– Isso é verdade, todos os dias nós deitamos na certeza de que iremos acordar.

– Isso mesmo, sendo assim a morte não existe.

– Agora compreendo o que ela quis nos ensinar, e sabe, ela tem muita razão quando nos ensina isso.

– Viu, meu filho? Esse Deus de amor é assim, compreende, auxilia e acolhe todos os seus filhos.

– Verdade, mamãe, agora eu entendo melhor.

– E eu que sempre achei que a vida terminava com essa vida! – diz Prisca.

– Não é maravilhoso sabermos essas verdades?

– Sim, é maravilhoso – afirma Valéria.

– Agora vamos descansar. Já está muito tarde, e as corujas já estão a piar anunciando a madrugada que será, ao que parece, muito fria.

– Sim, vamos descansar. Mas antes tenho um pedido a lhe fazer!

– Fale, Valéria.

– Gostaria que me ensinasse a lutar.

– Como assim?

– Eu posso explicar: desde menina, tenho um sonho constante. Sonho quase todas as noites que estou em um campo de batalha e que carrego em minha mão uma longa espada, cravejada de brilhantes, e que muitos soldados lutam a meu lado.

– Que sonho estranho, não?!

– Sim, inclusive meu pai me colocou em aulas de esgrima, sou uma boa lutadora com espada.

– Não sabia disso!

– Sim, ela sempre sonhou usar farda de soldado e lutar – diz Prisca.

– Olha que coisa impressionante! Não é muito comum ver mulheres com este desejo! Mas posso lhe ensinar sim.

– Fico muito agradecida se puderes me fazer relembrar meus treinamentos com a espada, e principalmente me ensinar técnicas de defesa.

– Faremos isso amanhã.

– Obrigada, Porfírio!

– De nada senhora. Logo cedo iremos realizar os primeiros treinos. Afinal, me tornei general pelas qualidades que tenho como lutador.

– Confio nisso, sei que terei o melhor de todos os treinadores de Roma.

– Pode confiar, amanhã treinaremos.

– Obrigada mais uma vez!

– Agora vamos fazer uma oração em agradecimento por nossas vidas e vamos descansar.

– Faça então a oração.

Porfírio começa a orar:

Catarina de Alexandria, nesta hora nós lhe entregamos
nossas vidas, sobre sua espada e sua bandeira de
amor e caridade estamos pela vida na Terra.
Agradecemos a ti por nossas vidas, por nosso
alimento e por nossa segurança.
Rogamos vossa proteção e carinho para que nunca
esqueçamos seus ensinamentos e suas palavras.
Peço para mim e para meus companheiros, paz,
segurança e evolução.
Graças te damos neste dia.
Para sempre em nossas vidas.
Que assim seja.

O Acampamento

Todos dormem em descanso profundo.

A madrugada é fria, mas todos dormem o sono da esperança e da felicidade, após tanto estudo e debate sobre as coisas de Deus.

Logo, um novo dia se mostra à frente destes que precisam fugir da ira do imperador, que ordena que em todas as capitais seja feita uma caçada a Valéria, seu filho, sua mãe e o general desertor Porfírio.

Sem imaginar que Porfírio está ajudando Valéria, o imperador destaca uma equipe com cento e vinte soldados que saem pelas estradas à caça do general.

– Bons dias, senhora!

– Bons dias, Porfírio! Podemos fazer o treinamento combinado?

– Sim, minha senhora, já separei as espadas.

– Vou colocar roupas mais confortáveis para nosso treinamento.

– Estarei lhe esperando.

Valéria vai até a pequena barraca improvisada e troca suas roupas, colocando uma calça comprida de seu filho e uma blusa de mangas compridas que delineia seu belo corpo, tornando-a ainda mais atraente e bela.

Porfírio está perto de algumas árvores em um pequeno bosque, muito próximo ao acampamento, aguardando-a, quando surge à sua frente aquela bela mulher de pele morena, agora dourada pelos primeiros raios de sol. Seus cabelos deslizam sobre belos ombros, seu sorriso o faz estremecer de felicidade e surpresa, diante de tanta beleza logo ao nascer do dia. Porfírio não consegue disfarçar seus sentimentos, e tenta fingir estar fazendo alguma coisa sem nada fazer.

Valéria percebe o jeito sem graça do nobre cavaleiro e tenta deixá-lo mais à vontade.

– O senhor está com algum problema?

– Não, Valéria, apenas estou preparando o ambiente para nosso treinamento.

– Então, podemos começar?

– Sim, tome essa espada, espero que a agrade.

– Sim, essa está ótima.

– Em guarda, senhora!

Com golpes ligeiros e maestria em técnicas de luta, Valéria surpreende Porfírio que tenta se esquivar de vários golpes desferidos pela veloz lutadora.

Após intensa batalha e com um golpe certeiro, Valéria derruba Porfírio no chão. Ele rapidamente se levanta e parte para cima de sua oponente de forma mais abrupta, e ambos caem em uma pequena ribanceira acolchoada de grama. Estando em cima do corpo de Valéria, Porfírio consegue sentir o perfume suave do hálito dela, que com seus lábios carnudos, aproxima-se de sua boca, quase tocando um no outro.

Os olhares encontram-se profundamente; logo Valéria, com um golpe certeiro, abate seu rival, retirando seu corpo suado de sob o dele. Agora é Valéria quem está por cima, olha carinhosamente para seu rival e, com um belo sorriso, o convida a voltar para o acampamento.

– Pensastes que seria fácil me derrotar?

– Perdoe-me, senhora, mas não sabia que lutavas tão bem.

– Nunca deixei de treinar.

– Confesso que está em excelente forma.

– Obrigada, Porfírio!

Encabulados com o ocorrido, ambos caminham lentamente exauridos pelo combate-treino que tiveram.

Valéria está feliz, sente algo diferente em seu âmago.

Porfírio está encabulado e preocupado com os sentimentos que agora invadem seu peito.

Após arrumarem seus pertences, todos seguem viagem e logo à frente encontram um grupo de viajantes que, como eles, tem como destino a Síria.

– Veja, Porfírio! Há pessoas acampadas logo à frente.

– Sim, já tinha visto bem antes.

– O que vamos fazer?

– Vamos nos aproximar, tenha por perto sua espada.

– Pode deixar!

Valéria coloca a seu lado sua espada e avisa a seu filho e a Prisca para ficarem atentos.

Acampados perto da estrada, embaixo de uma árvore, estão José e Silvana, juntos com seus quatro escravos egípcios, que estão arrumando suas coisas para seguirem viagem.

Assustados com a repentina visita, logo se põem a cumprimentar os viajantes.

– Bons dias, senhor!

– Bons dias! – responde Porfírio.

– Estás a seguir qual destino? – pergunta o curioso José.

– Estamos indo visitar parentes distantes.

– Vejo que seus animais estão fracos, acho difícil conseguir chegar a seu destino com estes animais.

– Sim, são cavalos velhos, mas ao passo que estamos indo, conseguiremos chegar ao nosso destino.

– Estaremos logo atrás de vocês; se precisarem de alguma coisa, esperem e logo os encontraremos.

– Obrigado, amigo!

– Bons dias!

– Bons dias!

Após se afastarem um pouco, exausta do treinamento imposto por Porfírio nas primeiras horas da manhã, Valéria comenta o curioso viajante.

– Curioso esse casal sozinho na estrada com seus criados, e ainda ficarem perguntando sobre nós.

– São pessoas de bem, só estão procurando fazer amizade para não viajarem sozinhos.

– É, pode ser isso.

– Cansada? – pergunta Porfírio.

– Sim, há muito não treinava com uma espada.

– Mas tens o dom da luta, confesso que fiquei surpreso com seus dotes de lutadora.

– Obrigada, penso em ensinar meu filho a lutar.

– Sim, acho que todos nós temos que estar preparados para qualquer coisa. Quando pararmos, após nossa refeição, vou conversar com ele sobre a luta.

– Agradeço sua amizade e presteza em nos ajudar.

– Não agradeça a mim e sim a Catarina, lembre-se que sigo instruções dela.

– Já havia me esquecido disso, agradecerei a ela em minhas preces.

Um misto de raiva e prazer invade o coração de Valéria, que gostaria de ter ouvido que Porfírio estava ali por ela.

– Tens orado a ela?

– Sim, a todo momento lhe agradeço por você ter aparecido em nossas vidas. Se você não tivesse aparecido, provavelmente a esta hora estaríamos mortos pelo tirano imperador.

– Com certeza era isso que lhes esperava.

– É, mas o amor de Catarina falou mais alto.

– Verdade – afirmou Porfírio.

Candidiano, que vai apressadamente à frente como batedor, volta assustado, correndo em direção ao grupo.

– Mãe, Porfírio, há vários homens vindo em nossa direção.

– Quantos são?

– Não deu para contar, mas são muitos.

– O que faremos? – assustada, pergunta Valéria, agarrando-se à sua mãe que está muito aflita com a notícia.

Imediatamente Porfírio para a carroça e ordena que Valéria, Prisca e Candidiano se escondam atrás de algumas árvores à beira da estrada.

– Escondam-se atrás das árvores, que vou mais à frente e esperarei pelos visitantes.

– Não faça isso – reclama Valéria, aflita com a situação.

– Sei o que estou fazendo, ficarei abaixado fingindo consertar a roda da carroça.

– Ficarei com você – diz Candidiano.

– Não, cuide de sua mãe e sua avó, deixe-me a sós, que sei o que farei. Agora vá rápido.

– Venha, mãe!

Puxando-a pela mão, Valéria esconde-se com sua mãe e seu filho atrás dos arbustos à beira da estrada, e ao longe fica em oração para que Catarina proteja Porfírio.

Porfírio, experiente que é, puxa a carroça à frente cerca de cem metros e abaixa-se fingindo consertar uma das rodas, e sobre a lona coloca sua espada ao alcance das mãos.

Um grupo de setenta homens cavalga rapidamente em direção a ele.

O grupo é liderado por Getúlio, que ao avistar Porfírio ordena que todos parem e aproxima-se.

Do alto de seu cavalo, Getúlio indaga o viajante:

– Bons dias, senhor!

Porfírio, de cabeça baixa com um pedaço de pano listrado que lhe cobre toda a cabeça, responde:

– Bons dias, senhor!

– Estás com problemas em tua carroça?

– Sim, tenho um problema na roda, mas já estou resolvendo.

A voz soa nos ouvidos de Getúlio que, desconfiado, desce do cavalo e aproxima-se de Porfírio.

– Qual seu nome, senhor?

– Por que queres saber, amigo? – mantendo-se de cabeça abaixada, Porfírio não olha no rosto do visitante.

– Parece-me que lhe conheço!

– Senhor, eu sou de terras distantes!

– Você não é Porfírio?

Rapidamente Porfírio pega sua espada, que já está na garganta de Getúlio.

Valéria sai de trás dos arbustos empunhando sua espada e corre rapidamente para auxiliar Porfírio.

– Calma, meu amigo, calma! Estou justamente a lhe procurar – diz Getúlio, assustado.

Todos os soldados descem de seus cavalos e começam uma grande festa com gritos de alegria por terem encontrado Porfírio.

Porfírio olha para os amigos soldados e reconhece a todos, aliviando-se do nervosismo causado pelo encontro.

– O que vocês estão fazendo aqui, vestidos assim? Estão a me caçar?

– Claro que não, general! Seguimos seus passos e desertamos do exército romano, e desde então estamos a procurá-lo por essas malditas estradas.

– Por que fizeram isso?

– Acreditamos nas palavras da menina Catarina que falava de um Deus único e verdadeiro, e decidimos procurá-lo para termos o nosso próprio exército.

– Vocês ficaram loucos, o imperador deve estar furioso com todos nós, e provavelmente está a nos caçar.

– Sim, sabemos disso, mas confiamos nas palavras de Catarina, e estamos dispostos a morrer pela misericórdia divina e pregar as palavras dela pelos quatro cantos da Terra.

– Getúlio, vejo que o amigo ficou realmente louco – diz Porfírio abraçando-o.

Candidiano e Prisca saem da mata onde estavam escondidos. Prisca vem lentamente atrás.

– Agora é que estamos ferrados mesmo; olhem, amigos, todos os procurados do imperador estão juntos (risos).

Todos se abraçam felicitando o encontro com o general Porfírio.

– Agora temos o nosso exército – diz Valéria.

– Sim, amigos, somos o exército de Catarina de Alexandria e lutaremos pelo amor do Cristo verdadeiro, e nunca mais pelos deuses de Roma.

A alegria é geral, todos se abraçam e comemoram o encontro com gritos de muita felicidade e alegria.

– General, quais são as ordens?

– Ainda me querem como comandante?

– Como não querer o maior e mais bravo general de Roma?!

Todos gritam de alegria.

Porfírio sente-se confiante e ordena a todos.

– Vamos seguir pelos quatro cantos do Oriente levando as palavras de Catarina de Alexandria e o evangelho de Jesus.

– Sim, senhor. Vamos, homens, agora voltamos à vida que desejamos.

A alegria é contagiante e todos levantam o braço direito com punho cerrado e gritam.

– Salve Catarina de Alexandria!

– Salve!

– Vamos, homens! Montem em seus cavalos e vamos seguir em frente.

– Sim, vamos!

Todos montam em seus animais e seguem pela estrada afora em galope lento. Valéria distancia-se do grupo. Ao perceber seu semblante de preocupação e distanciamento do resto do grupo, Porfírio aproxima-se.

– O que houve, Valéria?

– Porfírio, você acha mesmo que estes soldados são fortes o bastante para lutar contra Roma?

– Claro que não! Em nenhuma batalha poderemos sair vencedores, somos uns setenta; e o exército de Roma compõe-se de milhares de homens.

– Então por que alimenta este sonho?

– Não é um sonho, é uma realidade. Estamos unidos pelo amor de Catarina e de Jesus, e ela está a nos guiar.

– Sei disso, mas me sinto muito insegura, somos poucos. Se formos realmente enfrentar uma batalha, todos nós perderemos a vida.

– Não é essa a batalha que você imagina. A nossa batalha é pelo evangelho, e nessa batalha nós não usamos armas.

Nossa única arma serão os testemunhos de fé e amor a Jesus e a Catarina de Alexandria.

– Compreendo. Mas será que é assim que todos pensam?

– Se todos ainda não pensam assim, não importa, com o tempo todos estarão convertidos ao amor de Catarina e poderemos pregar a palavra sem medo.

Galopando velozmente, Valéria e Porfírio juntam-se aos demais para seguirem viagem.

No coração de Valéria nasce um sentimento diferente dos demais. Porfírio abala seu coração, e seu sangue ferve de amor pelo general romano. Morena de cabelos longos, pele macia e lábios carnudos, Valéria é uma mulher muito atraente, apesar de vestida com roupas de homem, mas isso não deixa escapar sua beleza sensual.

Porfírio, por sua vez, não expressa seu sentimento de amor que nasceu dentro de seu peito logo na primeira vez que viu a linda mulher.

A missão e o objetivo deixam de ser a fuga, agora ambos estão apaixonados, mas preservam-se em expressar tal sentimento para os demais.

Algo muito profundo existe entre essas duas almas; parecem se conhecer há mais tempo do que o tempo atual. A relação, os olhares e o contato são diferentes, nunca sentidos por ambos.

Relaxados e felizes, seguem juntos para a mais nobre missão: evangelizar.

Após dois dias de viagem, encontram um pequeno vilarejo e logo todos se acomodam em frente a uma pequena hospedaria. Alguns acampam na rua principal, e ali começam a pregar e evangelizar os moradores do pacato lugarejo.

São muito bem recebidos pelos mais velhos, e sábios, que administram o lugar.

Sentadas à frente da hospedaria, Valéria e Prisca observam o vaivém de soldados. Porfírio aproxima-se.

– Senhora Prisca, gostaria muito de conversar um assunto com Valéria, se me permites.

– Sim, podem conversar. Tenho mesmo que cuidar de nossas roupas, que há horas precisam ser lavadas.

– Obrigada, mãe! Sente-se, Porfírio.

– Permita-me. Você está melhor?

– Sim, por que haveria de não estar?

– Vi que ficou preocupada com nossa missão.

– Não foi isso que sonhei para mim quando me casei com Galério. Lembre-se que há pouco tempo eu vivia em um castelo e era uma nobre. Hoje o que sou, se não uma fugitiva, caçada por Maximino?

– Não pense nisso, a vida muda constantemente, e somos levados por certas decisões que modificam tudo e todos que estão ao nosso redor. Tenha confiança que nunca deixarei que nada aconteça a você.

– Obrigada, Porfírio, por sua gentileza, mas tenho o direito de ficar assim. Afinal, foram muitos anos de boa vida com tudo e todos me bajulando ao redor. Veja meu filho que foi criado como um nobre, como está?

– Seu filho me parece o rapaz mais feliz da Terra, fica o dia inteiro treinando batalhas com os soldados, e me parece muito feliz. Já tem até sua espada.

– Sim, realmente ele está muito feliz. O que não está feliz é meu coração de mãe. Gostaria muito de treiná-lo para defender-se dos soldados romanos.

– Não fique assim, conforte-se com as vontades de Deus. Ele já está sendo treinado por Getúlio que é um excelente soldado.

– É nEle que confio minha vida e a de meu filho. Minha mãe já é uma velha senhora, que não tem muito o que viver, mas meu filho... Tenho medo do futuro dele.

– Confie que cuidarei sempre dele e de você.

– Obrigada!

– Olhe o que temos à frente!

“

O amor é a chama eterna que ilumina a alma em sua evolução.

”

Nina Brestonini

– Onde?

Mostrando com o indicador direito, Porfírio aponta para um ferreiro a martelar o ferro em uma pequena carvoaria.

– O que tem o ferreiro? – pergunta Valéria.

– Estive pensando: se somos um exército de Catarina, embora pequeno, precisamos ter o símbolo de nossa causa.

– Sim, claro que sim – diz Valéria.

– Mas Catarina tinha seu brasão de família, o qual eu desconheço. Sabes qual era?

– Não, nem conhecia muito bem a menina.

– Pois é, é essa a minha dúvida.

– Temos que escolher então um brasão que represente Catarina.

– Sim, mas qual?

– Pensei em uma cruz, o que achas?

– Uma cruz não representa Catarina, e sim o Cristo Jesus, segundo dizem.

– Verdade – concorda Porfírio.

– Deixe-me pensar um pouco sobre isso – diz Valéria.

– Claro, só não demore, pois não ficaremos muito tempo aqui.

– Pode deixar.

– Agora vou procurar algum mapa para traçarmos nosso caminho.

– Ficarei um pouco aqui.

– Dê-me licença, senhora.

– Obrigada por suas palavras.

– Sempre às ordens.

O coração de Valéria pulsa fortemente, o desejo ardente de abraçar Porfírio pulsa em seu coração.

A noite chega, e em volta de uma grande fogueira os moradores se reúnem para ouvir a pregação de Porfírio que, com maestria, prega os ensinamentos de Catarina de Alexandria.

Os sábios do local logo são convertidos e todos passam a orar ao Senhor Jesus pedindo proteção e misericórdia para suas vidas. Muitos pedem perdão por terem adorado os deuses de Roma.

Após jantarem, todos se recolhem para dormir.

Valéria dorme em um dos quartos da hospedaria com sua mãe.

Na alta madrugada é acordada por uma visão na qual lhe aparece a menina Catarina de Alexandria.

Não sobrecarregues os teus dias
com preocupações desnecessárias,
a fim de que não percas a
oportunidade de viver com alegria.

André Luiz

A Visão

Admirada com a beleza da menina, Valéria mal consegue falar. A visão a deixa atordoada de tanta felicidade. A princípio, não entende o que está acontecendo, mas logo em seus pensamentos vem a palavra Catarina.

– Não se assuste! – diz Catarina.

– Não me assusto contigo, menina. Imagino que sejas Catarina.

– Sim, sou eu. E vim lhe falar algumas coisas, preste atenção em minhas palavras.

– Sim, Catarina.

– Por meio do amor divino, fostes liberta para viver ao lado de tão bravo homem. A missão de vocês é levar a palavra e os ensinamentos do Cristo Jesus pela Terra. Por onde passares deixem os ensinamentos que passei para Porfírio. Fique sempre ao lado dele, pois vocês já estão juntos há muito tempo, e agora tens a oportunidade de, juntos, cumprirem uma nobre missão. Terás pela frente diversas batalhas, umas com as dificuldades para sobreviver, outras com as palavras do evangelho, mas lembre-se que a mais importante de todas é a palavra de Jesus. Ensine o amor, ensine o povo a amar e dividir suas coisas com os mais necessitados, assim cumprireis a missão determinada para ti. Sempre estaremos ao teu lado, eu e o Arcanjo Miguel; quando saíres da carne, lhe será dado o dom de saber os motivos desta vida. Cuide-se, e cuide dos seus, para que toda a missão seja cumprida.

– Obrigada, Catarina, por confiar a mim esta missão.

– Não confiei a ti esta missão, você a escolheu.

– Catarina, sabes muito mais que jamais questionarei seus argumentos e sua orientação, mas desejo ser feliz.

– Fique tranquila e siga sempre com o amor em seu coração, e tudo terminará conforme a vontade do Pai.

– Permite-me lhe perguntar uma coisa?

– Sim.

– Estamos escolhendo seu símbolo para os homens, o que aconselhas?

– Sabes que nenhum instrumento criado para a tortura pode torturar um ser de luz. Use-o como símbolo do amor de Jesus pelos seus.

– Faremos assim, então. Obrigada, Catarina.

– Siga sempre com Jesus em seu coração.

– Obrigada.

– Agora volte a dormir e descanse. Parta daqui o mais rápido possível.

– Sim, minha senhora, faremos assim.

A visão se desfaz, Valéria acorda assustada e angustiada. Então ela sai à procura de Porfírio.

Chega lentamente a uma barraca onde Porfírio dorme, aproxima-se e o acorda com carinho.

– Porfírio, acorde!

– Sim, o que houve? – pergunta Porfírio, assustado.

– Nada, fique calmo. Venha, preciso falar com você.

Afastando-se do grupo que dorme junto ao general, delicadamente Valéria o conduz pelo braço até um pequeno bosque do outro lado da estrada; e puxando-o, sentam-se em um pequeno tronco de madeira cortado propositalmente para servir de banco.

A noite está estrelada, a lua ilumina todo o ambiente, a temperatura é amena, e uma leve brisa passa lentamente movendo os cachos negros de Valéria, jogando fios abusados sobre seu rosto. Delicadamente, Porfírio retira com seus dedos os fios intrusos que tentam esconder tanta beleza.

Ambos ficam inibidos e envergonhados, mas logo com toda sapiência feminina, Valéria vai direto ao assunto.

– Tive uma visão!

– Como assim? Visão?

– Não sei dizer, só sei que Catarina apareceu para mim e me instruiu sobre nossa missão.

– Como? Como assim?

– Já disse, eu não sei, isso nunca me havia acontecido. Disse-me que ela e o Arcanjo Miguel estão a guiar nossos passos, e que nossa missão é levar as palavras de Jesus por onde passarmos.

– Meu Deus, que lindo isso ter acontecido com você!

– Sim, fiquei muito emocionada e feliz, agora tenho certeza de que tudo vai dar certo, e que jamais estaremos sozinhos nesta batalha.

– Eu lhe falei isso, confie. Ela realmente é um anjo do Senhor e nunca nos deixará sozinhos.

– Sim, bem sei, mas ela me falou que escolhi isso para mim; esta parte, lhe confesso, não entendi.

– Também não sei nada sobre isso. Dentre os ensinamentos que ela me passou, disse-me que somos eternos e que sempre estaremos em várias vidas buscando nosso aperfeiçoamento.

– Isso é difícil entender, mas vamos em frente.

– E o símbolo dela? Você perguntou? Falou-lhe sobre minha ideia?

– Sim, falei. Ela me disse que nenhum instrumento criado pelo homem poderá matar um espírito de luz.

– Isso mesmo, a roda.

– Roda, que roda?

– A roda com lâminas, um instrumento de tortura que inventaram para a morte de Catarina, mas que não funcionou, quebrou-se em pedaços ao aproximar-se dela.

– Entendi. Sim, podemos usar a roda como o símbolo dela.

– Como não pensei nisso? – diz Porfírio.

– Não existem acasos, lembra-se?

– Sim, exatamente... Boa ideia, faremos isso, então.

– Amanhã mesmo mandarei bordar nosso uniforme com a roda de Catarina, e este será nosso brasão – diz Valéria.

– Usemos o vermelho que é a cor dos nobres.

– Isso, vamos fazer assim – afirma Valéria.

– Bom, agora volte a dormir, você precisa descansar, teremos um dia de muito trabalho na ferraria e nas costureiras deste pequeno lugar.

– Boas noites, Porfírio – diz Valéria, estendendo suas mãos já de pé.

– Boas noites, Valéria.

Por alguns segundos Porfírio prende os dedos de Valéria em suas mãos, intencionando não perder nenhum momento de contato com ela.

Timidamente, Valéria retira sua mão e sai para seu quarto, voltando a seu descanso.

Porfírio fica observando sua amada distanciar-se, lamentando a oportunidade perdida de expressar a ela todo o seu sentimento.

Ambos tentam dormir, mas não conseguem. Seus pensamentos estão fixados nas revelações de Catarina por meio da visão de Valéria.

O general Porfírio tem plena consciência das batalhas que serão travadas ao longo do caminho a percorrer, divulgando as santas palavras de Catarina.

Ao amanhecer, Porfírio ordena ao ferreiro que molde todas as suas armas com o símbolo da roda de Catarina de Alexandria. Escudos, lanças e espadas agora têm o símbolo de Honra e Luta.

Valéria prepara todas as bandeiras, e roupas dos soldados, com o símbolo da menina Catarina. O vermelho e o dourado são as cores escolhidas por todos para representar o exército de luz, assim chamado por todos.

O exército está pronto para partir em missão pelo grande Oriente.

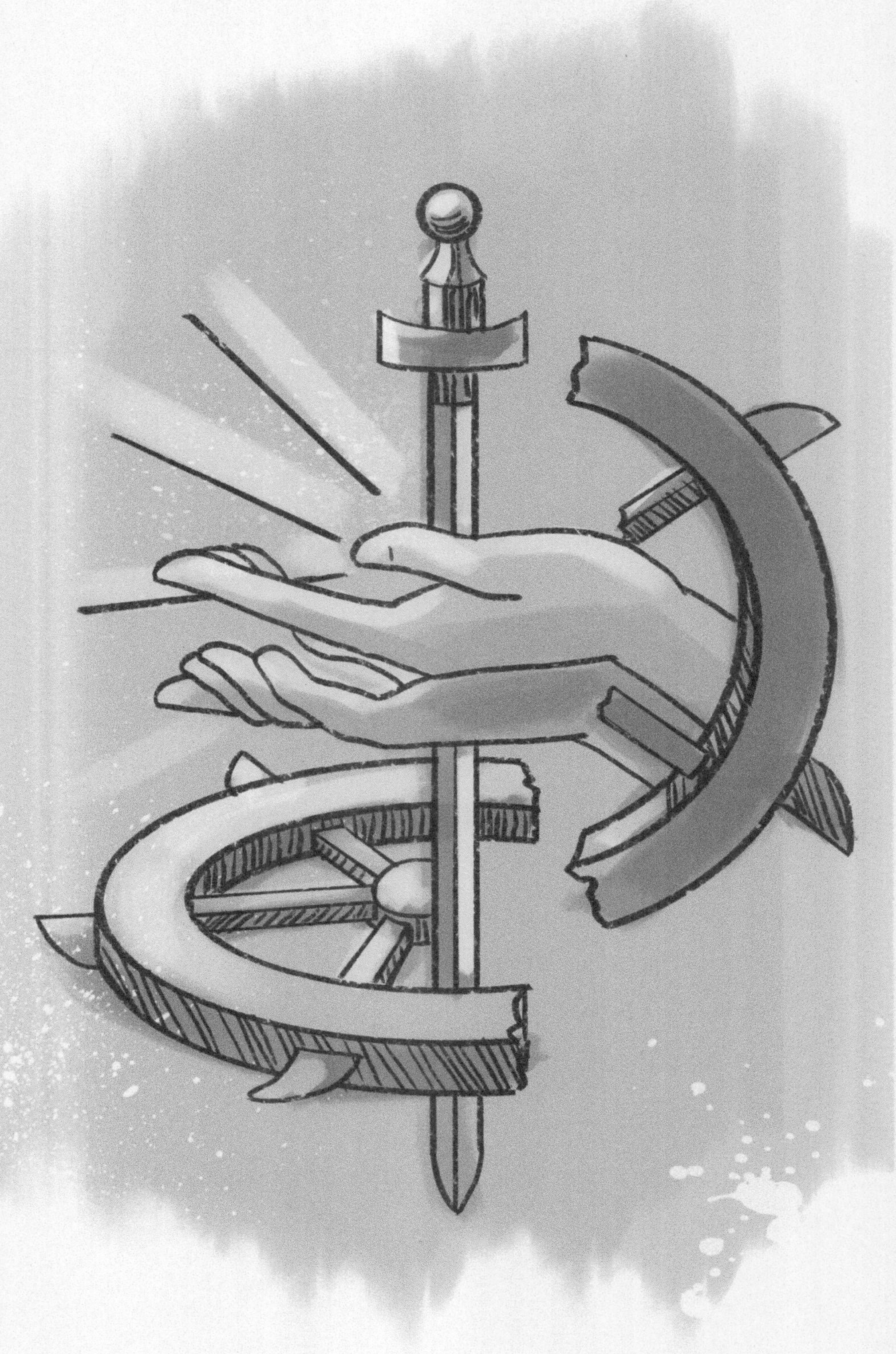

Todos montam em seus cavalos e seguem viagem com destino incerto, sabem que a qualquer momento terão pela frente os soldados de Roma.

Seis carroças são compradas para carregar todos os apetrechos necessários para a longa jornada. Um cozinheiro é contratado por Porfírio para cuidar da alimentação.

A fé pulsa na veia de todos, e assim seguem seu destino levando o estandarte de Catarina de Alexandria à frente da comitiva.

Na primeira fileira, vai o general Porfírio ladeado por Valéria, que carrega em sua cintura uma longa espada cunhada especialmente para sua maior batalha.

Logo atrás Candidiano carrega o estandarte que simboliza a missão. A seu lado Getúlio traz o símbolo de Catarina desenhado em sua lança.

Só uma certeza todos têm no coração: o amor pela causa e a missão de divulgar os ensinamentos, isso motiva a todos.

Passados alguns dias de viagem, o batedor aborda a todos inquirindo a Porfírio, avisando-o que há um grupo acampado logo à frente.

– General, há um grupo grande acampado à nossa frente.

– Quem é? São soldados?

– Não sei lhe informar, são muitos; não me aproximei o bastante para ver.

– Vamos acampar aqui, e durante a noite iremos observar quem são nossos companheiros que estão à frente.

– Sim, senhor. Montarei guarda para vigiar a distância.

– Faça isso – ordena Porfírio.

Valéria aproxima-se, preocupada.

– Porfírio, o que houve?

– Há um grupo acampado à nossa frente.

– Quem é?

– Não sabemos ainda, e como já está quase noite, vamos esperar escurecer e irei com alguns soldados para verificar com mais cuidado.

– Não há perigo?

– Acredito que não, o batedor me informou que eles não mantêm guardas a vigiar seu acampamento, portanto não oferecem perigo.

– O que isso quer dizer?

– Podem não ser soldados, podem ser pessoas comuns fugindo da tirania do imperador.

– Compreendo.

– Fique tranquila, que tudo estará bem.

– Está bem, vou ficar com a mamãe.

– Faça isso, agora vá.

Do alto de seu imponente cavalo, Porfírio ordena aos soldados que se organizem.

– Arrumem tudo, homens, vamos acampar!

Todos se postam a arrumar o acampamento.

Getúlio aproxima-se.

– General, irei olhar de perto quem são estes que estão à nossa frente.

– Irei com você, esperemos a noite.

– Sim, meu senhor!

– Agora supervisione os homens e peça que façam silêncio.

– Sim, senhor!

A noite cai lentamente. Getúlio e Porfírio dirigem-se escoltados por outros seis homens, para verificar os acampados à frente.

– Vamos deixar os cavalos aqui e iremos andando na direção deles.

– Sim, senhor!

– Venham, e façam silêncio – ordena Porfírio.

Getúlio ordena que um dos soldados fique a vigiar os cavalos, evitando fazer barulho. O pequeno grupo se aproxima com as espadas em punho, esperando o pior.

– Veja, senhor, estão todos em volta da fogueira, parecem dançar.

– Sim, estão a dançar, ouça a música.

– Sim, parecem ciganos!

– São ciganos – afirma Porfírio.

– Então vamos abordá-los, ciganos são amigos.

– Vamos, mas tenhamos cuidado.

Aproximam-se do grupo de ciganos que dançam em volta de uma fogueira; lindas ciganas dançam alegremente, parecem comemorar alguma coisa.

– Boas noites, senhores! – diz Porfírio.

Os ciganos correm desesperados, pois pensam tratar-se de soldados romanos.

Um grupo de jovens ciganos põe-se à frente do grupo para defendê-lo.

Enorme tensão envolve o encontro.

Porfírio e seus homens empunham espada e os ciganos, punhais e facas.

– Por favor, tenham calma, senhores! – uma voz ecoa por trás de todos.

O grupo abre passagem para um jovem cigano que se aproxima de todos.

Moreno, de cabelos longos, roupas brancas com muitas pedras semipreciosas presas, uma corda amarrada à cintura, afrouxando uma linda camisa de mangas longas que cai sobre a cintura, descalço com um sorriso no rosto, dentes brancos e barba por fazer, olhos azuis como pedras preciosas, o jovem cigano insiste em que todos se mantenham calmos.

– Muita calma, por favor! Somos apenas ciganos andarilhos da estrada. Estamos a comemorar um dia muito especial para todos nós.

A pouca luz não deixa Porfírio perceber o amigo cigano da taverna.

Mas o cigano não deixa a oportunidade passar e logo aborda o amigo de tempos atrás.

– Senhor general, é o senhor?

– Sim, fui general de Maximino, quem é você?

– Lembra-se, nós nos encontramos na taverna; e foi você quem mandou me entregar o corpo mutilado de Catarina.

Getúlio logo interrompe a conversa afirmando ser ele o cigano que pegou o corpo da menina.

– Foi ele, general, foi ele sim; foi a este rapaz que entregamos os restos da menina Catarina.

– Rodrigo seu nome, não é?

– Sim, amigo, me chamo Rodrigo.

– Amigos, deixem suas armas de lado, aqui somos todos irmãos – diz o jovem cigano Rodrigo.

– Abaixem as armas – ordena Porfírio.

O mesmo faz Rodrigo com os ciganos que estão a proteger o grupo.

– Venham, amigos, sentem-se. Venham comemorar conosco este dia tão especial para nós.

– O que estão a comemorar? – pergunta Porfírio.

– Hoje, estamos comemorando o nascimento de meu primeiro filho, que será na próxima lua. Casei-me com Hosana, esperem, vou mandar chamá-la.

Todos relaxam e sentam-se próximos à fogueira. Logo os ciganos trazem alimentos para os amigos que chegaram.

Rapidamente uma linda cigana de nome Andara corre a chamar Hosana.

– Veja, Porfírio, esta é minha esposa, Hosana.

– Muito boas noites, senhora! – diz Porfírio, levantando--se para cumprimentá-la.

Com um lindo véu que lhe cobre o rosto, mas que deixa à mostra seus lindos olhos verdes, Hosana cumprimenta a todos os viajantes e convida-os para a festa que ainda tem pela frente dois dias. Gestante, Hosana está com uma barriga enorme e espera um lindo bebê, que parece estar prestes a nascer.

Na tradição cigana as festas duram três dias.

– Agradeço-lhe a gentileza, Rodrigo, mas estamos com nosso pequeno exército de Cristo acampando próximo daqui.

– Vá e traga todos para a nossa festa. Mas como assim, exército de Cristo?

– É uma história longa, Rodrigo.

– Sabe, meu amigo, nós ciganos, adoramos histórias longas, sente-se e vamos conversar.

– Não posso, somos mais de setenta homens e não queremos atrapalhar.

– Faço questão que fiques conosco, por favor – insiste Rodrigo.

– Vamos ficar, general, eles parecem amigos – diz Getúlio.

– Eles são amigos, Getúlio – afirma Porfírio.

– Então por que não ficamos?

– Faça o seguinte: vá até o acampamento e traga todos para cá.

– Agradeço-lhe a gentileza, Rodrigo, iremos ficar com vocês esta noite.

– Fico muitíssimo feliz com sua decisão.

– Hermanos, preparem tudo para recebermos mais convidados; que esta seja uma noite de muita alegria e felicidade para todos!

– Sim, Rodrigo, vamos aumentar o fogo e a música; dancemos, amigos e comemoremos nossa felicidade. *Opcha*!

– Não desejamos incomodar – diz Porfírio.

– Não se importe com isso, tenho realmente muita gratidão por sua gentileza em me entregar os restos de Catarina, eu lhe devo este favor.

– Não me deves nada, fiz o que meu coração mandou; infelizmente nada pude fazer para evitar a morte da menina.

– Não se perturbes com isso, este era o destino dela, e se cumpriu. Só isso!

– Bem sei disso. Ela ainda me deu uma missão que estou a cumprir com sua proteção.

– Conte comigo para o que precisar!

– Obrigado, Rodrigo, mas não precisamos de nada; agora vamos fazer assim: vamos comemorar o nascimento de seu filho.

– Isso mesmo, vamos comemorar.

– Obrigado, amigo pela visita, fico muito agradecido por você ter me ajudado na tarefa que meu mentor determinou com Catarina.

– Eu é que agradeço não ter sido nada pior.

– Estamos nesta vida tão somente para sermos felizes, tens que seguir os desígnios de Catarina, e com certeza encontrarás a felicidade eterna.

– Sábias palavras, Rodrigo, obrigado!

Getúlio volta ao acampamento trazendo a notícia com alegria para todos.

– Senhoras, por ordens de Porfírio, iremos acampar com os ciganos que encontramos à frente – diz Getúlio a Valéria.

– Mas como assim?

– O grupo que está à nossa frente é de ciganos, e o líder deles é um amigo de Porfírio. Foi a este rapaz que eu mesmo entreguei os restos mortais de Catarina de Alexandria.

– Não entendo nada.

– Senhora, quando Catarina foi assassinada, por ordens de Porfírio, entreguei os restos mortais dela para este cigano que está acampado à nossa frente.

– Mas vocês são realmente loucos, como conseguiram enganar o imperador?

– Queimamos carne de carneiro para ele pensar que estávamos queimando os restos mortais da menina. Entregamos o corpo a esse jovem e a dois amigos dele, senão me engano, de nome Nina e Felipe. Se não me engano.

– Essa foi boa, gostaria de ver a cara do imperador quando souber disso (risos).

– Realmente, ele vai ficar muito furioso quando souber disso (mais risos).

– Agora o general ordena que desmontemos nosso acampamento e que fiquemos junto aos ciganos. Eles estão fazendo uma festa para comemorar o nascimento do primeiro filho de Rodrigo.

– Quem é Rodrigo? – pergunta Prisca.

– É o líder deles, senhora.

– Ah sim, então vamos?

Todos arrumam suas coisas, e logo estão a dançar e comemorar com os ciganos a nova vida que está por iniciar.

– Rodrigo, quero lhe apresentar Valéria – diz Porfírio.

Rodrigo levanta-se de sua confortável cadeira, estende a mão direita curvando o corpo à frente e beija carinhosamente a mão estendida de Valéria.

– Boas noites, senhora, seja bem-vinda a este humilde acampamento!

– Boa noite, Rodrigo!

– Essa é minha esposa, Hosana – diz Rodrigo, indicando-a ao aproximar-se de Hosana.

– Boas noites, senhora!

– Seja bem-vinda, Valéria!

– Obrigada.

– Por favor, sente-se aqui – diz Hosana, indicando uma confortável cadeira à sua esquerda.

Porfírio está sentado ao lado de Rodrigo, e em suas mãos tem uma linda taça onde bebe vinho feito pelos ciganos exclusivamente para o evento.

– Quem são estes? – pergunta Rodrigo.

– Perdoe-me, esta é minha mãe, Prisca; e este é meu filho, Candidiano – diz Valéria.

– Sejam bem-vindos a nosso acampamento. Sentem-se e aproveitem a festa.

– Rodrigo, como você consegue viver assim, com esse enorme grupo de ciganos, sem ser molestado pelos soldados de Maximino?

– Usamos a estratégia cigana, vivemos com a simplicidade e somos guiados pelo vento.

– Mas isso não os afasta dos soldados.

– Afasta sim, sentimos o cheiro de problemas ao longe. Temos nossos protetores espirituais e a eles seguimos sem pestanejar.

– Como assim? – pergunta Valéria, curiosa.

– Senhora, estamos há muito tempo nas estradas. Nós, ciganos, não temos o que interessa aos nobres de Roma; não temos dinheiro, não temos bens, não temos nada, e quem não tem nada de nada serve. É assim.

– É, Rodrigo, às vezes é melhor viver assim.

– Não tenha dúvida que é melhor assim.

– Senhores, tive uma missão muito desgastante para um simples mortal. Convivi na Capadócia com um grande homem, que muito me ensinou. Saí de lá orientado pelo meu mentor espiritual para ir a Alexandria e cuidar dos restos mortais de Catarina. Nessa jornada perdi muitas pessoas que eram próximas a mim. Perdi meu pai, assassinado pelos soldados romanos, e junto com ele o homem que mais admirei em minha vida. No trajeto perdi minha doce irmã de nome Tirá, que muito me deixa triste só de lembrar. Mas nós, cristãos e ciganos, sabemos que a vida não termina com esta vida, e que logo estaremos junto com eles em outra morada, que não sei bem certo onde é, mas meu mentor me diz que não existem acasos na lei de Deus. Me diz que temos um tempo limite aqui encarnados para cumprirmos aquilo que combinamos na vida anterior, e que nada se perde na sabedoria do Criador.

E continuou:

– Confio em Deus. Vejam, depois de tantas perdas, ganhei uma linda esposa e tenho hoje minha própria tribo. Agora Deus me presenteia com um lindo filho que está para nascer. Como posso reclamar se Deus sempre abençoa minha vida? E mais, conheci pessoas maravilhosas nesta minha jornada terrena, e ainda vou encontrar desafios que me farão feliz. Algumas coisas me deixaram tristes, mas se a vida fosse só de alegrias, quais seriam as minhas provas? Como eu conseguiria aceitar Deus em sua plenitude se não conhecesse a dor? O sábio não reclama, o sábio vivencia suas experiências e delas tira as lições necessárias para ser feliz. Tenho meus cavalos que tanto amo. Tenho os amigos, tenho saúde, paz e felicidade, o que mais posso querer?

– Sábias palavras, Rodrigo! Sábias palavras, amigo! – diz Porfírio, tocado com os ensinamentos do cigano.

Valéria, que a tudo ouve, sente-se tocada com os ensinamentos do mais novo amigo.

– Agora aproveitemos a vida: vamos dançar, comer e nos divertirmos.

– Vamos dançar, Valéria? – convida Porfírio.

Meio sem jeito, Valéria responde.

– Sim, vamos.

– Mas se puder, amigo Rodrigo, depois me conte mais sobre suas experiências com seu mentor espiritual.

– Conto sim, agora vá dançar e divertir-se, temos bastante tempo para isso.

Porfírio diverte-se dançando alegremente com Valéria. Uma grande roda de ciganos é feita e todos se divertem alegremente ao som das violas ciganas.

Após algumas horas, cansados, Porfírio e Valéria pedem permissão a Rodrigo para descansarem.

– Amigo Rodrigo, se nos permites gostaríamos de descansar um pouco. A festa está maravilhosa, mas estamos há dias na estrada e precisamos agora de um bom banho e descanso.

– Façam isso. A cem metros à direita existe um lago: banhem-se e voltem para descansar. Vou mandar providenciar uma barraca bem confortável para os amigos.

– Obrigado, Rodrigo, por sua gentileza!

– Amigos são assim.

– Obrigada – diz Valéria, feliz.

Porfírio toma Valéria pelas mãos e dirige-se à sua carroça, a fim de pegar algumas mudas de roupa para então caminhar ao lago para banhar-se.

Rodrigo manda chamar Marques e Lia, seus fiéis amigos.

– Marques querido, prepare uma barraca para o casal amigo, bem confortável para que possam descansar.

– Pode deixar, Rodrigo, vou preparar. Venha, Lia, ajude-me.

– Sim, meu amor.

Marques é um fiel amigo do cigano Rodrigo. Juntos, passaram por provas inesquecíveis. Lia é sua esposa, agora cigana, muito bem adaptada à vida nômade, apesar de ter sido criada como pessoa comum.

O luar reflete toda a sua beleza nas águas mansas da incrível lagoa de águas cristalinas.

– Venha, vamos nos banhar.

– Mas não posso despir-me ao seu olhar.

– Perdoe-me, Valéria.

– Não tens que pedir perdão. Faça assim, vá para o outro lado do lago enquanto me banho aqui.

– Sim, mas se acontecer alguma coisa, me chame.

– Pode deixar.

Porfírio se distancia para banhar-se na outra parte do lago. Seu coração está a cada dia mais tomado de uma intensa paixão. Fica a banhar-se e a imaginar que precisa ter coragem para conversar e expressar logo todo o sentimento de amor que tem por Valéria.

Valéria, por outro lado, já não suporta esconder o amor que sente pelo nobre general. Preocupa-se com a reação de seu filho. Sabe que terá todo o apoio de sua mãe, mas Candidiano a preocupa.

Banha-se tranquilamente pensando em seu amor, e após algum tempo é interrompida de seus devaneios pelo nobre general.

– Valéria!

– Sim – responde abaixando-se para que a água cristalina não o deixe vê-la nua.

– Perdoe-me a intromissão, mas podemos voltar ao acampamento?

– Sim, é uma pena sair dessa água tão quentinha e cristalina.

– Também lamento, mas logo ficarão preocupados com nossa ausência.

– Se me permite, podes afastar-se para que eu possa vestir-me?

– Sim, estarei lhe esperando no caminho.

– Está bem, já estou indo.

– Obrigado, senhora!

Logo chegam ao acampamento.

– Já voltaram? – pergunta Rodrigo.

– Sim, tomamos um banho maravilhoso – diz Valéria.

Candidiano aproxima-se.

– Mamãe, onde você estava?

– Eu estava tomando banho em um lindo lago que existe aqui perto.

– Que bom! Também estou precisando de um bom banho, pena que aqui não tem banheira.

Todos que assistem à cena começam a rir.

– Por que estão rindo?

– Nada amigo, nada – responde Marques.

– Senhora Valéria, sua barraca e do senhor Porfírio já está pronta; quando quiserem, podem deitar-se.

– Obrigada, senhor – diz Valéria educadamente, agradecendo ao gesto de carinho dos, agora, amigos ciganos.

– Candidiano, vá ao lago e banhe-se, depois desejo falar-lhe – diz Valéria.

– Fale agora, mãe.

– Não, primeiro vá banhar-se. Agora eu preciso falar com Porfírio a sós.

Candidiano obedece à sua mãe e se dirige ao lago para banhar-se.

Porfírio fica assustado e pede licença a todos, afastando-se com Valéria para o outro lado de onde se encontra o grupo.

– O que houve? – pergunta ele, assustado.

– Onde o senhor estava com a cabeça quando pediu para arrumar uma barraca para nós dois?

– Valéria, eu não pedi isso. Foi o Rodrigo que deve ter entendido que somos um casal, e ofereceu-nos a barraca.

– Pois trate de arrumar um lugar para o senhor dormir, que vou dormir com minha mãe e meu filho nesta barraca que foi arrumada para mim.

– Sem problemas, Valéria, não precisa ficar brava comigo.

– Não estou brava com o senhor, não somos íntimos para dormirmos juntos.

– Eu sei, perdoe-me.

Cabisbaixo, Porfírio sai irritado de perto de Valéria, que sente um enorme arrependimento em seu peito.

– Droga! Não precisava fazer isso com ele, realmente ele não teve culpa.

Prisca aproxima-se percebendo a tristeza no olhar de sua filha.

– O que houve, Valéria?

– Nada, mamãe, nada!

– Minha filha, todos já perceberam que você e Porfírio estão apaixonados. Só você é que fica aí com essa mania de achar que as pessoas não percebem as coisas.

– Mamãe!

– Filha, siga seu coração e busque a felicidade. Vocês parecem terem sido feitos um para o outro. Deixe de bobagens e dê logo uma chance para esse amor.

– É, mamãe, acho que exagerei com ele.

– Sim, você exagerou mesmo. Vá lá, procure-o e peça-lhe desculpas.

– Achas mesmo que devo fazer isso?

– Sim, acho mesmo. Agora vá e converse com ele.

– Tá bom, mamãe. Você sempre compreende meu coração.

– Filha, sua felicidade é o mais importante para mim, tenha certeza disso.

– Mas fico preocupada com Candidiano, acho que ele não vai aceitar isso muito bem.

– Fique tranquila, que já conversei com ele quando percebi o amor entre vocês.

– Como assim?

– Há dias temos percebido que vocês estão mais próximos um do outro. O amor, quando sincero, é percebido por todos aqueles que, dentro de seu coração, olham a vida com o olhar da simplicidade. Logo, tenho percebido na troca de olhares entre vocês, que nasceu um verdadeiro e sincero amor. Agora, peço a esse Deus que acabamos de conhecer, que esse amor dure por toda a eternidade.

– Mamãe, só você mesma para me compreender.

– Filha, eu a conheço bem e a amo mais ainda.

– Obrigada, mãe!

– Agora vá e converse com ele.

– Vou sim.

Apressadamente, Valéria sai à procura de Porfírio e o encontra sentado sob uma linda árvore, à luz do luar. O silêncio já é parte da noite, todos os ciganos se recolheram para descansar, apenas algumas ciganas jovens estão a namorar próximas da fogueira, que está com pouca lenha, mas ainda aquece os corações apaixonados.

– Porfírio!

– Sim!

– O que estás fazendo aí?

– Estou refletindo sobre suas palavras.

– Perdoe-me se fui rude com você.

– Não foste rude comigo. Só não tive culpa se Rodrigo entendeu que éramos amantes.

– Posso sentar-me a seu lado?

– Sim, claro, perdoe-me.

Valéria senta-se ao lado de Porfírio, ficando bem perto, corpo com corpo. Pega carinhosamente em sua mão direita, fixa o olhar nos olhos dele e diz:

– Meu amado, não sei bem por onde começar, mas preste muita atenção no que vou lhe dizer: sou uma mulher decidida, e muito bem esclarecida sobre as coisas que quero para mim e para aqueles que amo. Quando você apareceu em minha vida, eu já não tinha muitas esperanças de encontrar um novo amor. Meu marido morreu e me deixou jovem e preparada para viver. Se eu não preservasse meus sentimentos, provavelmente teria aceitado a proposta de Maximino, e hoje seria a imperatriz. Mas essas coisas não enchem meus olhos. Sou uma mulher honesta, e agora conheci uma nova forma de enxergar a vida, acreditando em um Deus verdadeiro, repleto de amor para com Seus filhos. Acredito que o amor que pulsa hoje em meu coração, provavelmente vem de outras vidas, pois não consigo administrar tudo o que sinto por você neste momento.

Porfírio ouve a tudo em silêncio. Seu coração está acelerado e ele mal consegue disfarçar sua alegria.

Valéria prossegue:

– Olhe bem dentro de meus olhos, e você vai encontrar uma mulher extremamente apaixonada, e que deseja viver junto de você pela eternidade. Perdoe-me se por vezes não saberei suportar, ou até mesmo controlar minhas emoções, mas saiba que te amo e te amarei por toda a minha vida.

Sem mesmo perguntar nada, Porfírio a toma em seus braços e a beija longamente.

O amor é recíproco, e juntos passam toda a noite a namorar deitados embaixo da frondosa árvore à luz do luar.

O sol mostra-se timidamente, com seus lindos raios dourados, por entre a folhagem da robusta árvore, acordando Valéria que dormia sobre o peito de seu amado Porfírio.

– Vamos para a barraca? – pergunta ela, ainda sonolenta.

– Vamos sim, meu amor.

Ambos dirigem-se para terminar o descanso na barraca confortável providenciada pelo amigo Rodrigo.

“

Tudo tem seu apogeu e seu declínio... É natural que seja assim, todavia, quando tudo parece convergir para o que supomos o nada, eis que a vida ressurge triunfante e bela!... Novas folhas, novas flores, na infinita bênção do recomeço!

”

Chico Xavier

O Amigo Cigano

No dia seguinte...

– Bom dia, Rodrigo!

– Bom dia, Candidiano!

– Gostaria de lhe agradecer pela linda noite de ontem, e por nos acolher com tamanho carinho.

– Não fiz nada do que meu nobre amigo Porfírio não é merecedor.

– Sim, Porfírio realmente é um grande homem, e veja você que já conquistou o coração de minha mãe.

– Sim, querido amigo, mas deixa eu lhe dizer uma coisa, sente-se aqui – indica Rodrigo ao novo amigo à sombra de uma árvore frondosa.

– Preste muita atenção no que vou lhe dizer: *as almas já nascem predestinadas a se encontrarem neste orbe terrestre, e juntas, cumprem as missões escolhidas no plano espiritual.*

– Você está me dizendo que Porfírio e minha mãe estão predestinados a seguirem juntos por esta vida?

– Sim, é isso.

– Perdoe-me, Rodrigo, mais como você sabe disso?

– Isso você só aprenderá com a maturidade e com o convívio direto com centenas de casais como eu tenho aqui na minha tribo.

– Ah entendi, a experiência lhe mostra esse tipo de união, é isso?

– Sim, os olhares, os gestos, a cumplicidade e outras coisas mais.

– Poxa Rodrigo, não é à toa que você é um líder querido e respeitado por todos.

– São frutos de meu trabalho e minha dedicação. Só isso.

– Quem bom! Fico muito feliz em aprender isso com você. Se for do agrado de Deus que minha mãe e Porfírio fiquem juntos e sejam felizes, é tudo o que eu desejo neste momento. Minha avó já tinha me falado um pouco sobre isso, mas confesso, não acreditei que seria possível minha mãe estar apaixonada por Porfírio.

– Que bom, Candidiano! Agora se vê que o amigo tem um coração amoroso e aceita muito bem os desígnios de Deus.

– Nunca fui realmente feliz como sou agora; sou livre, tenho minha espada e vivo como você diz, levado pelo vento.

– Nossa, vejo que você aprende rápido!

– Sim, desde ontem tenho conversado com os ciganos e com as meninas ciganas, e elas já me ensinaram que o que vale da vida é viver livre e feliz como o vento.

– Isso mesmo, amigo! A felicidade está nas pequenas coisas de Deus. Muitas pessoas pensam que a felicidade está em adquirir alguma coisa, mas a felicidade é simples como os pássaros que não precisam trabalhar para comer e cantar. Deus providencia tudo aquilo que precisamos para a sobrevivência feliz e duradoura.

– Vejo que você, Rodrigo, é um sábio cigano.

– Não se trata de sabedoria, mas sim de percepção.

– Verdade, meu amigo. Olha quem acordou, finalmente!

Valéria e Porfírio aproximam-se.

– Bons dias, Rodrigo!

– Bons dias, Porfírio; bons dias, Valéria, dormiram bem?

– Sim, as acomodações providenciadas pelo amigo são muito confortáveis. Obrigado!

– Não tens do que agradecer.

– Vejo que Candidiano já está lhe incomodando logo cedo, Rodrigo.

– Nada disso, Valéria, estávamos conversando sobre Deus.

– Olha, e eu perdi essa oportunidade.

– Não seja por isso, acomodem-se e vamos continuar nossa conversa.

– Com prazer – diz Porfírio.

Porfírio pega então dois bancos confortáveis, cobertos por tecidos; e almofadas coloridas, feitas pelas ciganas, e acomoda Valéria, sentando-se a seu lado.

– Sobre o que estavam conversando? – pergunta Valéria.

– Candidiano estava me contando de sua felicidade em estar livre como nós, ciganos.

– É, meu filho, isso você não me contou.

– Mamãe, estar com essa gente me faz muito bem; agora compreendo toda minha agonia quando vivia preso no castelo e as pessoas tão vazias que frequentavam nossa casa.

– Como assim? Você nunca me falou isso.

– Ontem, quando você e Porfírio foram para o lago e dormiram embaixo daquela árvore, fui abordado por uma menina cigana de nome Ana, e ela me convidou a juntar-me a outros ciganos. Ficamos até tarde da noite conversando sobre a vida cigana. Confesso que fiquei, a princípio, muito assustado pelos hábitos e costumes de vida dessa gente, mas após refletir, fiquei encantado com a maneira simples e honesta deles. Logo me encontrei dentro dessa magnífica forma de viver.

– Que bom, meu filho! Há muito tempo eu não ouvia você falar assim com tanto entusiasmo.

– Mamãe, hoje posso lhe dizer que me esqueci de tudo aquilo que já vivi, e estou pronto para seguir uma vida mais feliz.

– Parabéns, rapaz! – diz Porfírio, entusiasmado.

– Mas você não deveria estar nos observando embaixo da árvore.

– Na verdade, eu queria falar com Porfírio e agradecer-lhe por tudo o que fez por nós.

– Não tens do que me agradecer, Candidiano.

Rodrigo assiste a tudo com um copo na mão, saboreando uma bebida feita de raízes, costume de sua tribo, uma espécie de chá.

– Então, Rodrigo, gostaria de lhe agradecer por ter despertado esses sentimentos dentro de meu filho.

– Não fiz nada, e preste atenção às coisas de Deus, Valéria, pois não existem acasos na lei de Deus. O encontro promovido pelos nossos amigos do plano espiritual entre vocês e minha tribo tem um propósito. Resta-nos descobrir o porquê desse nosso momento.

– O que sugeres, Rodrigo? – pergunta Valéria.

– Valéria, estou há muito tempo na estrada. Como disse, antes passei por provas muito difíceis, mas sou um homem privilegiado por ter a meu lado um mentor espiritual. Todos nós temos uma proteção divina, temos um espírito amigo que nos acompanha e orienta sobre nossas provas e expiações. Muitas pessoas não conseguem conectar-se a essa divindade e ficam por aí achando que os tesouros estão na Terra, mas o mestre Jesus nos alertou que onde estiver seu coração, ali estará seu tesouro.

– Nossa, Rodrigo! Eu tenho uma coisa para lhe contar.

– Conte-me.

– Dias atrás tive uma visão quando nós estávamos vindo para cá.

– Que bom! E quem apareceu para você?

– Você vai acreditar se eu lhe contar? – pergunta Valéria.

– Claro! Eu mesmo já fui visitado diversas vezes por amigos, e pelo meu mentor espiritual.

– Catarina de Alexandria.

– Nossa! – diz Rodrigo. – Que bom! E o que ela queria lhe dizer, se é que você conseguiu comunicar-se?

– Ela me disse de uma missão honrosa em nome da palavra de Jesus, nos orientou os caminhos a seguir. Até nos deu um símbolo para representar seu exército.

– Viu? Como lhe falei, não existem acasos na lei de Deus.

– Começo a entender agora por que a menina Catarina, quando ainda estava no castelo, me contou todas as coisas que agora começo a compreender.

– Sim, Porfírio, nada é por acaso – diz Rodrigo com um sorriso no rosto.

– Fico emocionada só de lembrar daquele lindo rosto que apareceu para mim.

– Sim, Catarina era e é uma linda menina.

– Você a conheceu, Rodrigo? – pergunta Candidiano.

– Sim, amigo. Fui eu que levei os restos mortais dela e entreguei a alguns monges na península do Sinai. Aliás, sem me esquecer dos amigos que me auxiliaram nessa tarefa, Nina e Felipe.

– E onde estão esses seus amigos? – pergunta Valéria.

– Eles seguiram por destinos diferentes. Nina e Felipe têm agora uma nobre missão pela frente, e já não precisam mais de mim.

– Compreendo, mas você não sente saudades deles, não fica preocupado em nunca mais encontrá-los?

– Como assim, nunca mais encontrá-los? Você acha mesmo que existem acasos? Já lhe disse, não existem acasos na lei de Deus.

– Perdoe-me, Rodrigo, eu não soube me expressar.

– Não tenho que lhe perdoar, Valéria, entendo perfeitamente o que desejas saber, e vou lhe responder, preste atenção: *A vida não se resume a esta vida*. Tenho dito isso para muitas pessoas que encontro em meu caminho, mas prestem atenção: o que é a saudade? – pergunta Rodrigo.

– Ah, a saudade é a falta de alguém que gostamos muito e que está distante – diz Valéria.

– Muito bom! E para você, Porfírio, o que é saudade?

– Saudade é o afastamento, é sentir a falta e tudo mais.

– Muito bom! E para você, Candidiano, o que é a saudade?

– É o que sinto neste momento pelo meu pai.

– Muito bom, Candidiano! Repare que toda vez que você fala e sente a saudade, o que vem em seu pensamento são os momentos bons vividos com alguém que está distante, não é isso?

– Sim, é isso – concordam os três.

– E mais: só se sente saudades das coisas boas e de momentos bons, vividos ao lado de alguém, ou de alguma coisa que em determinado momento de nossa vida marcou nosso coração. Não é isso?

– Sim, sim – concordam novamente os três.

– Momentos bons nos servem como aprendizados, lembrem-se sempre disso. A saudade é um sentimento que

Deus colocou em nossos corações para que possamos nos arrepender, ou nos sentirmos felizes, em termos cumprido determinada missão ao lado daquela pessoa, ou coisa, que agora nos faz falta. Não é isso?

– Sim, é isso.

– Então, caros amigos, aprendam com a saudade. Tirem das lembranças o mais nobre aprendizado, e saibam que a vida não termina com essa vida. Aquelas pessoas, ou coisas, que em determinado tempo viveram ao seu lado, atingiram seus objetivos, porque se deixaram saudades é porque foram importantes. E sendo importantes, estarão eternamente ao seu lado. Nesta vida temporária nos ajuntamos a determinados amigos, para deles tirarmos o aprendizado necessário à nossa evolução enquanto estamos aqui na Terra. Mas lembrem-se sempre que a vida é eterna, e que logo todos estarão juntos novamente na vida que segue pelos mundos que esse nosso maravilhoso Deus criou.

– Nossa, Rodrigo, perdoe-me, mas onde você aprendeu tudo isso? – pergunta Candidiano.

– Isso não se aprende, isso se chama encontrar-se com Deus.

– E como podemos nos encontrar com Deus? – pergunta Valéria.

– As coisas de Deus estão a nos cercar por todos os lugares e em todas as coisas que vivenciamos em nosso dia a dia. Cada dia é uma oportunidade de aprendizado e de evolução. Isso quem me ensinou foi meu mentor.

– Quem é seu mentor?

– Daniel, ele se chama Daniel.

– E de onde você o conhece?

– Não o conheço, conheci-o nesta vida, mas ele me disse que estamos juntos há bastante tempo, e eu confio em tudo o que ele me diz. É simples assim.

– É, amigo, a cada dia que passa mais eu aprendo – diz Porfírio, visivelmente emocionado.

– Não fique assim, Porfírio! Creia, Deus tem um propósito para todos os seus filhos, e deles não descuida em nenhum momento.

– Sinto isso, Rodrigo. Quando meu marido morreu, senti uma enorme necessidade de me reencontrar. Agora compreendo muito bem os propósitos de Deus em minha vida.

– Isso mesmo, Valéria! Deus te ama e quer que você seja a pessoa mais feliz deste mundo. Para isso basta aceitar suas provas com resignação e humildade. É fácil, somos nós que complicamos (risos).

– É verdade, meu amigo – diz Porfírio.

– E você passa por essas complicações da vida também, Rodrigo? – pergunta Candidiano.

– Querido Candidiano, todos os dias somos testados. A todo momento algo novo surge em nossa vida e em nossos pensamentos. Temos uma coisa chamada liberdade de escolha. Há pensamentos que são muito positivos, mas também há aqueles que são negativos. O caminho a seguir é sua escolha. Podes fazer o bem a todo momento, mas podes igualmente fazer o mal. Isso só depende de você. A escolha é sua.

– E como fica Deus nessa história?

– Deus é um pai justo e bom, tudo ele permite. Podes ser um bom filho como podes também ser um filho mal. Todas as coisas que você fizer serão para você como uma taça de vinho.

– Como assim, Rodrigo? – pergunta Valéria.

– A semeadura é livre, porém a colheita é obrigatória. Se plantares uvas, tomarás o mais doce dos vinhos já produzido na Terra, mas se semeares o fel da Terra, tomarás o mais amargo dos sucos. Sendo assim, és livre para fazer o que quiser, mas lembre-se que o Pai é justo, e sendo justo tudo o que fizeres será seu algoz na eternidade.

– Entendi, Rodrigo, quer dizer que podemos ser melhores a cada dia, a cada experiência.

– Isso mesmo, se você analisar com cuidado, verá que esta vida atual é uma vida curta, e sendo curta ela tem um propósito, e qual é o propósito da vida?

– Acho que estou começando a entender – diz Valéria.

– Então me diga, Valéria, qual é o propósito da vida? – insiste Rodrigo.

– Evoluir e se tornar melhor.

– Parabéns! É isso mesmo, aprender, evoluir e se tornar a cada dia melhor. O que adquires da Terra, da Terra é. O que adquires do espírito, do espírito é. O que se leva?

– As coisas do espírito, é claro! – respondeu Candidiano.

– Muito bom, Candidiano. Então se pode entender que a vida não se resume a esta vida, e que o que viemos fazer aqui terá que se cumprir. E mais, Deus não nos cessa a oportunidade de tudo cumprir. Voltaremos a este mundo quantas vezes forem necessárias para que tudo se cumpra.

– E o que temos que cumprir, Rodrigo?

– Tudo aquilo que nos deixará bem próximos da perfeição tão desejada por Deus.

– Sábias palavras, meu amigo! – diz Porfírio.

– Bom, meus senhores e minha senhora, estamos há tanto tempo conversando, que meu estômago clama por alimento. Vamos almoçar?

– Sim claro, vamos.

Uma grande mesa está pronta à frente da barraca de Rodrigo. Vários ciganos o aguardam para o almoço. São servidas muitas frutas e sopas feitas de raízes, e alguns legumes cozidos em grandes panelas na cozinha, preparados pelas ciganas. Todos são vegetarianos, não comem animais.

Porfírio, Valéria e Candidiano sentam-se ao lado de Rodrigo e Hosana, que já estava esperando seu amado.

A conversa muda de rumo, já não se fala mais das coisas espirituais, agora é o prazer de uma boa mesa que satisfaz a todos. Logo após o descanso da tarde, Rodrigo é procurado por Porfírio.

– Rodrigo, gostaria de conversar com o amigo.

– Diga-me, o que desejas?

– Não desejo mais nada, só preciso lhe agradecer a acolhida e os ensinamentos; amanhã pretendo seguir viagem.

– Mas não desejas ficar mais um pouco conosco?

– Se fosse de meu desejo e de Valéria, ficaríamos por toda a eternidade ao seu lado, mas somos mais de setenta homens que desejam seguir em frente levando o evangelho de Jesus aos quatro cantos do Universo.

– Se é este o seu desejo e sua missão, nada posso fazer a não ser agradecer por sua amizade e desejar-lhe boa sorte.

– Nós é que agradecemos sua acolhida e seu carinho.

– Então vais partir amanhã?

– Sim, logo cedo partiremos.

– E para onde vais?

– Vamos para a Grécia.

– Desejo-lhes uma boa viagem.

– Obrigado.

– Então aproveitemos o dia para conversarmos e nos divertirmos, pois isso faz parte da vida.

– Sim, vou agora descansar um pouco e à noite nos encontraremos junto à fogueira para dançar e comemorar a chegada de seu filho.

– Faça isso, descanse e nos encontraremos à noite.

– Obrigado, amigo!

– Vá homem, vá!

Porfírio e Valéria retiram-se após almoçarem e vão descansar.

A noite é de divertimento e alegria para todos.

Logo cedo Porfírio procura Rodrigo que está sentado no mesmo lugar conversando com Hosana, para despedir-se.

– Amigo, quero lhe agradecer por tudo, mas temos que ir.

Rodrigo, num gesto fraterno levanta-se e abraça o amigo com carinho.

– Vá com Deus!

– Fique com ele também.

– *Gracias*, amigo!

Valéria aproxima-se e abraça Hosana, agradecendo a acolhida, e segue para juntar-se aos demais soldados para seguir viagem.

O Exército Cristão

Toda a caravana de Porfírio e Valéria já está pronta, e então começa a viagem.

Após alguns dias de viagem e depois de passarem por diversas vilas e pequenas cidades, finalmente o grupo chega próximo à Tessalônica.

– Porfírio, vamos ficar por aqui? – pergunta Candidiano.

– Sim, passaremos algum tempo aqui evangelizando e pregando as palavras de Catarina.

– Vamos procurar um local ideal para acamparmos.

– Sim, faça isso, Candidiano, chame Getúlio e escolha com ele o local apropriado.

– Pode deixar, que resolveremos isso.

– Obrigado!

Candidiano e Getúlio encontram um local prazeroso aos pés de um monte, e ali montam todo o acampamento. Várias pessoas da pequena cidade começam a aproximar-se e ouvem as pregações de Valéria e Porfírio, que passam com maestria os ensinamentos de Catarina a todos.

O povo local já havia ouvido falar da menina Catarina, e todos começam a entender que existe sim, um Deus único, misericordioso e amoroso.

A notícia começa a se espalhar. Várias pessoas dos vilarejos próximos à cidade dirigem-se para ouvir as pregações.

Alexandria.

Maximino é interrompido por seu chefe da guarda, que lhe informa que há um mensageiro que lhe traz uma mensagem urgente de Roma.

– Deixe-o entrar.

– Imperador, trago-lhe uma mensagem de Roma – diz o mensageiro, adentrando a grande sala onde o imperador despacha com seus ministros.

– Dê-me a mensagem – diz o imperador.

Abrindo lentamente a mensagem, Maximino empalidece ao ler o texto que diz:

Maximino, uma legião de cristãos vestidos com fardas e carregando estandartes de tal Catarina de Alexandria anda pelo nosso território a pregar palavras contra os deuses de Roma.

Liderados pelo general Porfírio, estão a evangelizar pessoas em nome de Jesus, o Nazareno; tome as devidas providências urgentemente.

Assinado.

Imperador Licínio.

Encolerizado com a notícia, Maximino ordena que seu exército rume à cidade de Tessalônica e combata com os rebeldes, pregadores de Jesus.

– General, leve duzentos dos meus melhores soldados, siga até a cidade de Tessalônica e matem todos os cristãos que lá estão a pregar as palavras do tal Jesus, com um suposto exército.

Comandados pelo covarde general Alexandre, duzentos homens partem rumo ao massacre.

As ordens são para exterminar todos os cristãos que encontrarem no caminho.

Grande derramamento de sangue ocorre nas cidades a caminho de Tessalônica. Covardemente, cristãos são mortos por ordem do imperador.

Alexandre, agora empossado como general de Maximino, derrama toda sua ira sobre pobres homens, mulheres e crianças cristãos que encontra pelo caminho.

Uma batalha cruel e desumana, pois armados e poderosos, os romanos são impiedosos, verdadeiros algozes.

Muita tristeza invade a região. Seguidores de Catarina de Alexandria são covardemente assassinados: mulheres, crianças, moços e velhos, todos conhecem a fúria de Maximino Daia.

São poucas as baixas sofridas pelo exército do mal que segue seu caminho derramando sangue inocente por onde passa.

A fama de Alexandre corre fronteiras, onde todos se escondem em cavernas e lugarejos distantes, fugindo da fúria do imperador.

Logo a notícia chega aos ouvidos de Porfírio, que é procurado por Getúlio.

– Senhor, um viajante veio até nós para nos avisar que Maximino ordenou a Alexandre caçar-nos e exterminar todos os seguidores de Catarina.

– Quantos somos agora?

– Nosso grupo ainda é de setenta soldados treinados, os que nos seguem chegam a cento e noventa. Mas não são soldados, e muito menos estão preparados para lutar com armas por esta causa.

– Eu sei, só estou pensando em como poderemos nos defender.

– Não acredito ser possível, senhor. Não temos armas suficientes para esta batalha.

– Engano seu, amigo Getúlio. Temos a melhor arma que qualquer soldado possa possuir.

– Qual é esta arma, senhor?

– Temos Catarina de Alexandria a nos defender, e a seu lado o Anjo Miguel.

– Compreendo, senhor, mas isto é uma batalha.

– Agora é chegada a hora de mostrarmos nossa fé e nosso amor a Jesus.

– Compreendo, senhor, sabes que nada me afastará desta batalha.

– Sei disso, amigo Getúlio, confiemos em nossa proteção.

– Sim, senhor, vou alertar os homens.

Assustada com os rumores de uma possível batalha, Valéria procura Porfírio para uma conversa.

– Querido, há rumores de que Maximino mandou soldados para uma batalha conosco, isso é verdade?

– Sim, Valéria, é verdade. Não sabemos ainda o tamanho do exército que iremos enfrentar, mas estamos confiantes de que venceremos.

– Porfírio, não achas melhor fugirmos e nos escondermos em lugar seguro?

– Se há algum lugar seguro para o exército de Maximino, ainda não conheço. Ele tem muitos informantes.

– Então vamos fugir!

– Minha senhora, sou um general e nunca fugi de nenhuma batalha, e não fugirei dessa batalha em nome de Jesus.

– Eu tenho uma coisa a lhe falar: guardei sempre em meu coração o momento oportuno para isso, e agora vejo que não posso mais esconder este segredo.

– Conte-me, o que houve?

– Venha, vamos sair daqui!

A passos lentos e caminhar pensativo, Valéria conduz Porfírio à beira de um penhasco, onde se avista um lindo vale.

– Olhe para o infinito – pede Valéria, aflita.

– Estou olhando!

– O que vê?

– Um lindo vale!

– Porfírio, tudo isso foi criado para a nossa felicidade, lembra-se das palavras de Rodrigo?

– Sim, Valéria, me recordo muito bem dos ensinamentos daquele jovem cigano.

– Lembra quando ele nos falava do amor de Deus pelos Seus filhos?

– Sim.

– Então, meu querido, devemos fazer uma reflexão muito profunda sobre essas pessoas que nos seguem, e que perderão sua vida em uma batalha que a meu ver é extremamente desnecessária.

– Querida, sempre fui um general, um homem que lutou pelos deuses de Roma, e agora tenho a oportunidade de redimir todos os meus pecados lutando em nome do Deus verdadeiro.

– Pense no amor que Rodrigo nos ensinou, pense em suas palavras doces que nos alertam para a felicidade plena.

– Eu compreendo o que dizes, mas o que direi aos meus soldados? Eles estão ávidos por esse dia.

– Deixe-me lhe contar uma coisa.

– Conte-me, o que houve?

– Desde o momento em que o vi, senti algo diferente em meu coração. Apesar de estar em viuvez há pouco tempo, meu coração acelerou quando você entrou pela porta de minha casa, vestido de amor para me salvar. Este sentimento só fez crescer dentro de mim, e hoje já não consigo mais viver sem estar perto de você.

Aproximando-se, Valéria toma Porfírio pelas mãos, olhar fixo ao do seu amor e prossegue:

– Ao ver tão grande bravura em seu coração, e tanto amor por uma menina que não pudestes salvar, vi e compreendi que o amor verdadeiro é o que sentes pelo seu semelhante; vejo tanta bondade em seu coração, que quase não consigo respirar de emoção.

Sem dizer nenhuma palavra, Porfírio a toma nos braços e ambos trocam um ardente beijo. Corpos colados e suados de amor intenso vivido por toda a eternidade.

Seus corações batem fortes, ambos sentem a pressão do amor pulsar nas veias da emoção.

– Minha senhora, sempre te amei e sempre te amarei. Desde o dia em que juntos ficamos com os ciganos, sinto que já não tenho mais razão para viver, se não for para ser feliz a seu lado.

– Então, meu amor, pense bem, não sei o que seria de mim se alguma coisa ruim acontecesse a você.

– Nada de ruim vai nos acontecer, confie em mim.

– Eu confio, mas meu coração está sofrendo só de pensar.

– Não pense, venha. Fique perto de mim e você se acalmará.

Porfírio e Valéria ficam juntos acariciando-se por um período até serem interrompidos por Candidiano.

– Minha mãe, preciso lhe falar.

– O que houve, filho?

– Tomei uma decisão.

– Diga, meu filho, o que houve?

– Vou com Getúlio reforçar as fronteiras da cidade, todos estão se mobilizando para a batalha contra os soldados de Maximino.

– Não faça isso, por favor!

Segurando-a fortemente nos braços, Porfírio interrompe:

– Deixe-o ir, ele precisa provar para si mesmo que já está preparado para ser um homem.

– Mas...

– Mãe, ele tem razão, chega das maldades de Maximino. Ele nos destruiu, para mim é uma questão de honra.

– Deixe-o ir, querida! – diz Porfírio.

Uma enorme confiança bateu no peito de Valéria.

– Vá, meu filho! Que Catarina de Alexandria lhe proteja!

– Assim seja!

Candidiano tenta sair rapidamente quando é interrompido por sua mãe.

– Espere, filho! Por favor, me abrace!

Após um longo abraço, Candidiano segue com Getúlio para proteger a cidade contra o ataque dos soldados romanos.

Todos se preparam para a batalha, barreiras são montadas ao longo da estrada de acesso à cidade. Getúlio e seus homens estão fortemente armados à espera dos inimigos.

Algumas fogueiras foram preparadas estrategicamente na entrada, para impossibilitar a entrada do inimigo.

Os ferreiros da cidade preparam espadas e lanças em regime de urgência para atender a todos os que desejam juntar-se ao exército de Porfírio, para defender os pregadores de Jesus.

O dia é longo à espera da batalha. Todos estão muito ansiosos para provar seu amor e fidelidade a Catarina de Alexandria. Todos os cristãos da região unem-se ao exército do bem.

A noite chega e Porfírio organiza a vigília montada com sessenta de seus melhores soldados. O restante descansa à espera do inimigo.

Valéria não consegue dormir e é visitada por sua mãe, Prisca. Após passar por dois soldados prontamente colocados para vigiar a barraca de Valéria, Porfírio supervisiona e organiza a defesa com seu amigo Getúlio.

– Posso entrar, filha?

– Entre, mamãe.

– Não está conseguindo dormir?

– Como conseguiria com essa batalha iminente?

– Compreendo, sou uma mulher velha e cansada, já vivi quase tudo nesta vida, nunca imaginei existir um Deus tão poderoso.

– Sim, mamãe, e é nEle que estou depositando toda minha confiança e esperança que tudo acabe bem.

– Lembre-se das palavras de Rodrigo.

– Rodrigo nos passou tantos ensinamentos, sei que ele está orando por nós.

– Sim, ele disse não existir acasos na lei de Deus; se essa batalha é nossa, nossa ela será, confie.

– Eu confio, mamãe, confio muito em Deus e em Catarina.

– Agora descanse, pois não adianta você ficar assim. Os soldados de Maximino não nos atacarão durante a noite.

– Como sabes disso?

– Sou uma mulher velha e experiente, confie, descanse.

– Está bem, mamãe! Obrigada por suas palavras.

– Agora vou para minha barraca.

– Boa noite, mamãe!

– Boa noite, filha, durma com Deus!

– Obrigada!

Após algum tempo refletindo sobre as palavras do amigo cigano, Valéria consegue dormir.

Durante a madrugada Valéria é novamente visitada por Catarina. Densa névoa envolve todo o lugar.

Valéria acorda um pouco assustada achando que a batalha havia começado, mas logo se acalma ao relembrar da cena vivida anteriormente na aparição de Catarina.

– Minha senhora, o que desejas de mim?

– Valéria, o exército de Deus não trava batalhas onde o sangue seja a honra. O exército de Deus tem a mais difícil das batalhas, que é inserir no coração dos homens o amor divino. Eu venho aqui para lhe orientar que saia o mais rápido possível desta região, fuja com Porfírio, sua mãe e seu filho. Diga aos soldados deste pequeno exército de amor para voltarem às suas casas e levarem uma vida de amor e caridade.

– Minha senhora, isso é muito difícil para esses homens que só conhecem a batalha como honra.

– Use minhas palavras e verás que conseguiremos evitar um massacre. Estarei a seu lado, instruindo-lhe palavras com as quais conseguiremos êxito em nossa missão.

– Se é isso que desejas, é isso que farei.

– Vá, converse com Porfírio e siga o mais rápido possível para Tessalônica.

– Obrigada, Catarina, farei assim.

– Fique na luz do divino mestre Jesus.

Ajoelhada, Valéria agradece a aparição e corre à procura de Porfírio.

É noite e todos estão a descansar. Porfírio está sentado à beira do vale e não tem sono. Calmamente Valéria se aproxima de seu amado.

– O que fazes sentado aqui?

– Não tenho sono, estou muito preocupado com o que pode acontecer a você. Aproveito para admirar tão bela noite estrelada.

– Pois saiba que tive outra visão.

– Agora?

– Sim, agora mesmo. Estava dormindo e fui acordada por Catarina.

– O que ela quer agora?

– Ela ordena que saiamos daqui o mais rápido possível, e que todos os nossos guerreiros voltem para suas casas e vivam uma vida plena.

– Como isso agora? E nós iremos para onde?

– Ela nos ordenou: quero que vocês saiam daqui e sigam para Tessalônica, o mais rápido possível.

– Mas como convencer esses homens a desistir dessa batalha?

– Reúna-os. Com certeza, tenho palavras que os convencerão a desistir da batalha.

– Você?!

– Sim, eu e Catarina, que disse que estará ao meu lado.

– Se é isso que desejas...

– Sim, meu amor, confie em mim, reúna os homens.

– Isso, meu amor, temos que seguir nossa mentora – diz Porfírio.

Porfírio vai até os limites da pequena cidade e convoca Getúlio e todos os soldados para se encontrarem na parte central, onde Valéria irá falar a todos.

Rapidamente todos os homens e mulheres, seguidores de Catarina, estão reunidos para ouvir as palavras de Valéria.

Valéria sobe em uma das carroças e começa a falar:

– Meus irmãos, companheiros de fé e amor. Fui ainda pouco visitada por nossa mentora, Catarina de Alexandria, que nos ordena a deixarmos essas terras e seguirmos com nossas vidas normais. Disse-me que a batalha do amor não empunha espadas, e sim palavras do evangelho de nosso Senhor Jesus Cristo. Ordenou-me que parta o mais rápido possível com minha mãe, meu filho e Porfírio para Tessalônica. E ordenou que os senhores voltem para suas terras, cultivem o amor e vivam felizes na paz do Senhor.

Todos os soldados estão de cabeça baixa, ouvindo atentamente as palavras de Valéria. Ninguém a interrompe.

– Agora, meus queridos guerreiros de Deus, a ordem é amai-vos, e sejamos felizes com o amor de Catarina de Alexandria em nossos corações.

Todos ovacionam Valéria e começam a despedir-se uns dos outros com lágrimas nos olhos.

A mensagem fora bem recebida e entendida.

Só o amor edifica.

Orgulhoso, Porfírio abraça sua amada e todos estão felizes.

“

Eu confio no meu juiz, que é o Senhor do céu e da terra.

”

Joanna D'arc

A Última Viagem

– Confesso que estou admirado com suas palavras e seus conselhos – diz Porfírio, emocionado.

– É ela, meu amor, que guia meus passos e meus pensamentos. Agora vamos arrumar nossas coisas e partir o quanto antes.

– Vamos sim. Chame sua mãe, que vou me despedir de meus amigos e já volto.

– Vá e agradeça a todos por mim.

– Pode deixar.

Porfírio dirige-se a seus soldados e os abraça felicitando--lhes por terem ouvido as palavras de Valéria.

– Meus amigos, não tenho palavras para agradecer-lhes a cumplicidade e confiança depositadas em mim. Em meu nome e no nome de Valéria, agradeço a todos vocês e rogo a Deus que lhes proteja e que todos sejam muito felizes.

– Nós é que lhe agradecemos por depositar em nossos corações tamanha fé e devotamento por Catarina de Alexandria, e saiba que sempre que precisar podes contar conosco.

– Obrigado, amigos. Agora vão e sejam felizes longe da espada.

– Sim, general, longe da espada.

Todas as espadas são deixadas para trás, e aos poucos os grupos formados por alguns vão deixando o local.

– Porfírio! Porfírio!

– Diga, Candidiano.

– Deixaremos mesmo de lutar?

– Sim, essa é a ordem de Catarina.

– Logo agora que eu teria a oportunidade de provar a todos que já estou preparado para ser um soldado de Deus.

– Candidiano, você já é um soldado de Deus. Ouça os ensinamentos que nossa querida Catarina nos mostra e verás que a felicidade está dentro de nosso coração.

– Sim, compreendi, mas gostaria de lutar e destruir Maximino Daia.

– Ele se destruirá por si mesmo, vamos esperar que a Lei Divina entre em ação, e certamente ele vai colher tudo aquilo que vem semeando durante todo esse tempo.

– É mesmo, é melhor entregarmos a Deus.

– Sim, entreguemos a Deus o destino de Maximino Daia. Agora venha e vamos arrumar nossas coisas para partirmos o quanto antes.

– Para onde iremos?

– Iremos para Tessalônica.

– É isso mesmo que faremos, não estamos muito longe, conseguiremos chegar lá bem rápido.

– Vá arrumar suas coisas, que assim que clarear partiremos.

– Assim o farei.

Porfírio se distancia de todos e senta-se à beira do vale para observar a noite estrelada e quente. Sem perceber, Valéria vai ao seu encontro.

– Posso ficar com você e apreciar a linda noite? – pergunta Valéria.

– Claro, meu amor, deite-se aqui.

Sentando-se próximo a Porfírio, Valéria curva seu corpo e deita-se, repousando a cabeça no colo de seu amado, que a acaricia com amor.

Após uma noite romântica, voltam às suas barracas e dormem ansiosos pelo novo dia.

Logo cedo, Porfírio reúne alguns poucos homens que ainda mantinham a esperança de lutar e ordena que voltem aos seus lares e procurem levar uma vida de amor a Catarina de Alexandria. Convence o restante que havia ficado e relata sobre as aparições da menina Catarina, que conversara com Valéria.

Estando ao seu lado, Valéria o auxilia relatando o pedido de Catarina.

Assim todos os soldados amigos se despedem do grupo, com exceção de Getúlio, que faz questão de acompanhá--lo até o encontro do mar, onde Porfírio, Valéria, sua mãe, Prisca, e seu filho, seguem para Tessalônica.

– Obrigado, amigo fiel, por estarmos juntos sempre! – diz Porfírio.

Abraçando-o, Getúlio agradece a oportunidade de ter lutado durante tanto tempo ao lado do amigo.

Todos se abraçam e se despedem alegremente.

– Mãe, preciso muito falar com você!

– Diga, meu filho!

– Querida mãezinha, já é hora de seguir meu caminho – diz Candidiano.

– Como assim?

– Já sou um homem adulto, estou pronto para seguir minha jornada por essa Terra.

– Não, filho, por favor, não faça isso!

– Mãe, você sabe o quanto te amo e quero sua felicidade. Agora você tem Porfírio que vai cuidar bem de você, preciso realmente seguir minha vida.

Porfírio interrompe.

– Valéria, perdoe-me, mas ele tem razão. Já aprendeu a se defender e está pronto para seguir sua vida.

– Eu sei, mas não queria que isso acontecesse.

– Eu sei, mãe, mas vou em frente com Getúlio. Estou decidido.

Com lágrimas nos olhos, Valéria abraça seu filho carinhosamente.

– Vá, meu amor, e seja sempre fiel a ti mesmo. Não se esqueça de orar a Catarina para que cuide sempre de você.

– Pode deixar, minha mãe, jamais esquecerei seu carinho e seu amor. Logo que me estabilizar, volto a lhe procurar em Tessalônica.

– Promete? – indaga Valéria.

– Sim, mãe, prometo. Só quero ficar um pouco por aí e ver o mundo à minha maneira.

– Eu entendo, meu filho, já é hora de viver sua vida.

Afastando-se, Candidiano abraça Prisca, sua avó, que chora de emoção.

– Vó, não chore, eu vou voltar.

Porfírio abraça o menino desejando-lhe muita sorte.

– Getúlio, cuide sempre deste menino para mim.

– Pode deixar, general, vou tomar conta dele.

Ambos se afastam e todos ficam a observar a partida com lágrimas nos olhos.

Todos se despedem abraçando-se.

Após algum tempo refletindo sobre tudo, sentada sozinha olhando o mar, Valéria é interrompida por Porfírio.

– Querida, vamos seguir adiante?

– Sim, meu amor, vamos. Perdoe-me por estar assim.

– Eu compreendo seu momento, sei o quanto é difícil nos separarmos daqueles que amamos.

– Nunca pensei que esse seria meu destino.

– As coisas mudam, e devemos aceitar as mudanças como algo positivo para nosso engrandecimento espiritual.

– Você está parecendo o cigano Rodrigo falando.

– Obrigado pela comparação (risos).

– Cadê a mamãe?

– Ela está caminhando pela areia da praia, muito pensativa e triste com a partida de Candidiano.

– Ela vai sofrer muito com a ausência dele, eles são muito próximos.

– Com o tempo ela se acostuma, fique tranquila. Agora vamos procurá-la para seguirmos viagem.

– Sim, vamos.

Porfírio e Valéria saem a caminhar pelas areias da praia à procura de Prisca, quando são surpreendidos por uma voz que os chama.

– Porfírio! Porfírio!

Rapidamente Porfírio vira-se para o lado e vê Nina.

– Nina, é você?

– Sim, lembrou-se de mim?

– Sim, nunca vou esquecer aquele dia em que você, Rodrigo e Felipe estiveram comigo e lhes entreguei os restos de Catarina.

Nina docemente corre a abraçá-lo.

Porfírio, meio sem jeito, abraça Nina com ternura, logo Felipe aproxima-se de ambos.

– Olha quem está perdido por essas bandas! Olha se não é o Porfírio!

– Olá, Felipe! Que bom revê-los!

Valéria aproxima-se do grupo.

– Essa é Valéria.

– Perdoe-me, senhora, por abraçar o Porfírio assim sem me apresentar.

– Fique tranquila, Nina, o Porfírio já havia me falado de vocês.

– Ah, que bom que nosso amigo não nos esqueceu!

– Jamais os esquecerei – diz Porfírio.

– Mas o que fazem por aqui?

– Estamos sendo procurados por Maximino – diz Valéria.

– Nossa, ele ainda não percebeu que tem que ser um homem melhor para as pessoas?

– Não, Nina, ele ainda mata muitos cristãos e persegue aqueles que não seguem os deuses de Roma.

– Que coisa horrível! – diz Felipe.

– E vocês, o que fazem por aqui?

– Estamos seguindo para uma vida nova em qualquer lugar que haja amor.

– É isso que estamos também a procurar.

– Nina, vou lhe contar uma coisa, você nem vai acreditar – diz Porfírio, feliz.

– O quê?

– Sabe com quem estivemos uns dias atrás?

– Com quem?

– Com o cigano Rodrigo!

– Nossa! Que alegria! E como ele está?

– Está bem, com uma tribo enorme, vários ciganos o seguem, e tem ainda uma belíssima esposa de nome Hosana, que estava prestes a lhe dar o primeiro filho.

– Como gostaria de encontrá-lo! – diz Felipe.

– Ele não está muito longe daqui – diz Porfírio virando-se para o sul.

– Não sei se ele ficaria feliz em estar conosco.

– Por que diz isso?

– Cumprimos uma missão juntos, depois ele se despediu de nós e nunca mais tivemos notícias dele.

– Pelo pouco que conheci dele, é um homem muito íntegro e sincero, provavelmente deve ter seguido alguma orientação de seu mentor, o Daniel.

– Viu, Nina? Porfírio falou a mesma coisa que venho lhe falando há tempos.

– Rodrigo é um homem digno, mas muito misterioso (risos).

– Verdade – diz Valéria –, também percebi isso.

– Nossa! Vocês, mulheres, percebem coisas que nós, homens, não percebemos, parecendo tolos (mais risos).

– Verdade – diz Nina.

– Estamos acampados aqui perto, vocês não gostariam de jantar conosco?

– Com prazer! – diz Valéria.

– Mas primeiro precisamos achar sua mãe.

– Sim, vamos achá-la juntos. Podemos lhes ajudar se não incomodamos – diz Felipe.

– Claro que não incomoda, Felipe!

– Então vamos. Vocês sabem para que lado ela foi?

– Para lá – indica Valéria, apontando para a praia.

– Então vamos.

Todos se puseram a caminhar lado a lado.

– Mas me conte, Porfírio, como conhecestes Valéria e achastes uma mulher tão encantadora assim? – pergunta Nina.

– Ah Nina, essa é uma longa história! Valéria, assim como eu, é perseguida pelo imperador.

– Mas o que ela fez?

– Não fez nada, simplesmente não atendeu aos seus caprichos.

– Entendo – diz Nina.

– Felipe, e você, o que tem feito?

– Eu e Nina vivemos como ciganos, embora não sejamos. Decidimos viver pelo amor a Catarina e pregamos, por onde nos é permitido, seus ensinamentos.

– Tentamos fazer isso também, chegamos a criar um exército em nome dela.

– Mas o que deu errado?

– Ela apareceu pessoalmente para Valéria e ordenou que não usássemos a espada para pregar suas palavras, e sim o amor.

– Compreendo.

– E assim estamos aqui seguindo as orientações dela, e vamos seguir para Tessalônica.

– Vocês não estão muito longe.

– É, eu sei. Decidimos parar por aqui para descansarmos por alguns dias, antes de seguirmos para nosso destino.

– Fizestes muito bem, este é realmente um dos lugares mais lindos que já conhecemos, não é mesmo, Nina?

– Sim, este lugar é maravilhoso. E as pessoas daqui são acolhedoras e amigas.

– Tens pregado a palavra por aqui? – pergunta Valéria.

– Sim, Valéria, estamos pregando as palavras de Catarina. Inclusive hoje à noite faremos uma reunião aqui mesmo na praia, onde pregaremos as palavras de Catarina.

– Olha que incrível, Porfírio! Podemos participar?

– Claro que sim. Será, para nós, uma grande honra.

– Se não se importar, gostaria de pregar também – insiste Porfírio.

– Claro amigo, você é muito bem-vindo! – diz Nina, entusiasmada com o reencontro.

– Onde será que minha mãe se meteu? Meu Deus, cadê ela?

– Calma, querida, iremos encontrá-la – diz Porfírio.

– Eu estou muito preocupada com ela. Sabe, a partida de Candidiano mexeu muito com os sentimentos da minha querida mãe.

– Todos nós sabemos que foi a melhor decisão que ele tomou, agora ele poderá alcançar seus objetivos, e quem sabe viver uma vida plena e feliz.

– Sei disso, meu amor, mas deixar partir um filho, acredito que não seja fácil para nenhuma mãe.

– Verdade – diz Nina.

– Ainda bem que tenho a Nina para me defender... (risos).

– Olhe, acho que é sua mãe sentada naquela pedra.

– Vamos.

Todos seguem ao lugar onde Prisca está sentada olhando para o mar.

– Mãe! Mãe! É você?

– Sim, filha, sou eu. Venha, aproxime-se, quero lhe mostrar uma coisa.

Valéria puxa sua saia para cima com ambas as mãos, e molhando os pés, vai ao encontro da mãe que está observando as ondas que batem suavemente na rocha onde está sentada.

– Mãe, o que houve?

– Nada, filha. Venha, sente-se ao meu lado.

Porfírio, Felipe e Nina sentam-se na areia da praia e ficam a observar aquela linda cena.

– Venha, sente-se aqui.

Valéria ajeita-se ao lado de sua mãe e a abraça.

– Olhe como as ondas batem suavemente nas rochas.

– Mamãe, você está bem?

– Sim, só um pouco pensativa e apreensiva com todas estas mudanças em nossas vidas. Sabe, filha, sou uma mulher velha que já viveu o suficiente. Passei por momentos bons e outros ruins, mas agora me encontro aqui, perdida neste fim de mundo, disposta de todos os meus bens, sem nada. Como uma mulher qualquer, que apesar de conhecer toda a nobreza, agora é uma mulher pobre de coisas materiais, mas rica em fé e descoberta por um Deus amoroso que agora compreendo.

– Que lindo, mamãe, estou emocionada!

– Não fique, olhe as coisas como elas são agora. Nosso menino virou um homem e segue seu destino. Sobramos nós duas e seu amado marido. A mim resta esperar minha hora com toda essa fé que nasceu e cresce a todo o momento dentro de meu coração.

– Mamãe, é muito bom ouvir isso de você! Saber que você agora vê a vida desta forma me deixa em paz e muito feliz.

– Eu sei, filha. Sei que agora você pode se tornar a mulher feliz que sempre sonhei.

– Realmente, não tenho do que reclamar.

– Posso te abraçar?

– Claro, minha filha!

Valéria abraça Prisca sem dizer nenhuma palavra. Ambas sentem os corações emocionados batendo forte no peito do amor.

– Mamãe, encontramos com uns amigos de Porfírio que nos convidaram a passar a noite com eles.

– Ah que bom, teremos comida decente hoje?

– Mamãe, deixa de ser boba! (risos).

– Agora vamos, que eles estão a nos esperar.

– Vamos sim. A maré subiu e eu nem vi.

– Venha, mamãe, vamos por aqui.

Carinhosamente, Valéria conduz sua mãe por uma parte mais segura onde ambas conseguem chegar à areia da praia.

– Olá, senhora! – cumprimenta Nina, auxiliando-a a chegar próxima ao grupo.

– Obrigada, minha filha, como é seu nome?

– Me chamo Nina, e este e meu marido, Felipe.

– Prazer em conhecê-los – diz Prisca estendendo a mão para cumprimentar Felipe.

– Você está bem? – pergunta Porfírio.

– Sim, estou ótima.

– Ouvi dizer que iremos jantar com um casal amigo.

– Sim, senhora, será um prazer para nós, não é, Felipe?

– Sim, minha senhora, será uma honra.

– Então já podemos ir, estou mesmo com muita fome.

– Venha, mamãe, vamos.

Todos seguem para o acampamento de Nina e Felipe.

Chegam a uma pequena vila de poucas casas, no total de cinco.

Nina, alegremente, convida-os a entrar.

– Pensei que vocês morassem em um acampamento, mas vejo que tens uma linda casa.

– Isso aqui é um acampamento, só existem cinco casas, e elas foram construídas por nós mesmos. Saibam, meus amigos, que eu e Felipe sempre que podemos, construímos uma casa para acolher aqueles que estão vagando por aí sem destino e sem recursos.

– Que lindo trabalho! – diz Valéria.

– E essa ideia foi de Nina, então resolvemos nos estabelecer aqui. Comprei essas terras com o dinheiro que meu pai havia me dado para viajar e com a ajuda de nosso amigo Rodrigo. Antes de partir, Rodrigo me deu uma sacola com algumas pepitas de ouro que eram de sua irmã Tirá.

– De novo ele.

– Ele quem? – perguntou Prisca

– Rodrigo, mamãe, o cigano.

– Ah sim, aquele belo rapaz.

– Ele mesmo, sempre preocupado com os amigos, ele me ensinou muitas coisas.

– Realmente, ele é um ser iluminado.

– Verdade – concorda Nina.

– Como vocês criaram essa coisa?

– Que coisa? – pergunta Nina.

– Essa ideia de construir casas para os pobres?

– Ah sim, de novo Catarina.

– Como assim?

– Uma noite eu estava sem destino. Aí ela me apareceu em sonho e me disse que viéssemos para essas bandas e comprássemos terras, e nelas construíssemos uma cidade, uma pequena cidade.

– Nossa, que lindo! – diz Prisca.

– Sim, foi uma noite muito especial para nós – diz Felipe.

– Naquela noite, nós estávamos muito saudosos de Catarina, e ela bondosamente apareceu nos sonhos de Nina e nos orientou no que fazer.

– E como vocês selecionam as pessoas que acolhem nessas casas?

– Não selecionamos, esperamos que Catarina mesma se encarregue de trazer essas pessoas para cá.

– Que lindo! – diz Valéria.

– É, realmente estamos completos. Vivemos como gostamos, temos nossa própria lavoura de onde tiramos nosso alimento. Cada um tem uma tarefa. Assim todos nós somos felizes aqui.

– Nina! Nina!...

– Oi, meu amor!

Uma linda menina de uns sete anos entra correndo na casa de Nina e corre para seus braços. Envergonhada com as visitas, ela diz:

– Desculpa, Nina, eu não sabia que você estava com visitas.

– Não tens do que se desculpar, Samara. Olhe, estes são nossos amigos.

Nina coloca Samara no chão, e a doce e meiga menina estende suas mãozinhas e cumprimenta a todos os presentes.

– Esse é o nosso amigo Porfírio.

– Prazer, senhor!

– Essa é Valéria.

– Muito prazer, senhora!

– E essa é Prisca.

– Muito prazer, senhora!

– Como você é linda, menina!

– Obrigada, senhora!

Samara é filha de Isolda e Marcos, vizinhos de Nina. É uma menina muito esperta, de cabelos loiros e longos e olhos azuis como pedras preciosas.

– Nina, minha mãe mandou avisar que o jantar já está pronto.

– Obrigada, Samara, avise-a que já estamos indo.

Felipe havia construído um pequeno galpão onde dispunha de uma grande mesa. E ali todos ceavam juntos. Esse era o hábito local.

– Vamos, gente, vamos jantar!

– Vocês jantam juntos? – pergunta Valéria.

– Sabe, Valéria, as refeições são os momentos mais importantes para nós; é a hora que nos encontramos para agradecer por tudo que Catarina tem nos dado – diz Nina.

– Impressionante como isso aqui é lindo!

– Obrigado, Porfírio – diz Felipe, orgulhoso.

Ao chegar ao local das refeições, todos são recebidos com carinho pelos demais presentes, que os cumprimentam com a alegria costumeira.

– Senhores, senhoras e crianças, vamos nos sentar para nossa refeição – diz Felipe.

Nesse acampamento residem um total de doze adultos e treze crianças. Todos se sentam deixando a cabeceira da mesa para Nina, que ajeita outros três lugares para os convidados.

Nina então faz a prece de agradecimento e todos desfrutam de um jantar maravilhoso, feito com muito carinho pelas cozinheiras da pequena aldeia.

São servidas sopas de raízes e farta salada de legumes, plantados ali mesmo, pelos homens.

As mulheres são rendeiras e fazem roupas, cobertas e toalhas para a pequena e humilde comunidade.

Nina e Felipe são os dirigentes do lugar, onde a felicidade existe de verdade.

Valéria fica muito impressionada com a organização e o carinho com que tudo é feito e comenta com sua mãe, em voz baixa, pensando não ser percebida.

– Mãe, que lugar é esse? Que coisa! Olhe as crianças, como são lindas e bem cuidadas.

– É, filha, a felicidade existe.

– Poxa, mamãe, como eu gostaria de ficar aqui!

– Fale com a Nina, quem sabe ela e o Felipe não nos autorizam a ficar.

Nina então pede a palavra:

– Porfírio, Valéria e Prisca, mesmo sem consultar Felipe, eu gostaria de convidá-los a viver entre nós. Aqui temos amor, paz e muita felicidade. Se desejarem, podemos construir outra casa e vocês podem viver conosco.

– Nossa – diz Valéria. – Parece que você, Nina, ouviu minhas preces!

– Que bom, Valéria, que você pensa em ficar – diz Felipe.

– O que achas, Porfírio? – pergunta Nina.

– Infelizmente não poderemos ficar, fomos orientados por Catarina a seguirmos para a Tessalônica, e acho que é o que temos que fazer.

– Tinha me esquecido disso, realmente foi o que Catarina nos mandou fazer – diz Valéria, contrariada.

– Se foi isso que Catarina lhes ordenou, aconselho seguir suas ordens – diz Nina.

– Foi isso sim, foi esta a orientação que ela me deu quando de sua aparição.

– Então não temos mais o que dizer. Infelizmente seguimos as orientações dela, e há muito tempo não temos do que reclamar – diz Felipe finalizando a conversa.

– Mas fiquem o tempo que acharem necessário para o descanso e refazimento.

– Agradeço-lhe de coração, Felipe – diz Porfírio.

– Mas Nina, você havia nos falado de uma pregação que ocorreria hoje à noite.

– Sim, Porfírio, após nosso jantar alguns amigos das redondezas irão chegar, daí começaremos a falar de Jesus.

– Confesso, estou ansioso por este momento.

– Ficamos muito felizes – diz Nina.

– Agora vamos à sobremesa e ao café.

– Vamos sim – diz Prisca.

"

Ajude conversando. Uma boa palavra auxilia sempre.

"

André Luiz

A Pregação

Todos estão reunidos em volta de uma grande fogueira; sentados, ouvem atentamente a pregação de Nina.

De pé Nina, uma linda jovem de cabelos ruivos e sorriso fácil, vestida com uma linda saia de flor e blusa branca, fala do evangelho de Jesus, com uma destreza compreensível até aos mais tolos.

– E disse-nos Jesus: "Eu sou o caminho, a verdade e a vida...". Jesus é o caminho, porque não se pode andar por outro, senão o caminho do bem maior, o caminho da compreensão e da ajuda mútua... A verdade, porque em seus ensinamentos tudo faz sentido, porque a mentira não entra no reino de Deus... E a vida, porque quem vive com ele vive em abundância. Não a abundância material, mas sim a grandeza espiritual... E nos disse mais: "Deixai vir a mim aqueles que sofrem, pois eu os aliviarei... Tomai sobre vós meu jugo. E aprendei de mim...". Sendo assim, meus queridos irmãos, amai-vos como ele nos amou...

Porfírio ouve tudo extasiado com tamanho conhecimento daquela nobre menina ruiva de cabelos longos. Suas mãos procuram as mãos de Valéria, que aquecidas pela paixão daquelas palavras, acolhem com carinho seu amado.

Prisca, sentada ao lado de sua filha, ouve atentamente os ensinamentos do Cristo.

Nina prossegue:

– "Bem-aventurados os aflitos, pois serão consolados." Quando Jesus nos falou isso, ele queria que nós não fôssemos afoitos nos conhecimentos da vida, mas que tivéssemos uma vida farta e abundante em amor e caridade. E que devemos compreender seus ensinamentos de forma amorosa, e sem nos utilizarmos daqueles que têm a fé pequena, e de alguma forma, tirar proveito desses pobres irmãos de espírito. O amor transcende aos mais sublimes sentimentos da erraticidade. Só o amor constrói dentro de nós a verdadeira chama libertadora da alma.

Todos se sentem tocados pelas palavras de Nina. Felipe assiste a tudo, extasiado.

Após a pregação, todos se abraçam e conversam ainda mais sobre os ensinamentos do Cristo Jesus.

Nina fala ainda um pouco sobre Catarina:

– Uma vez eu e Catarina estávamos a esperar pelo pai dela, quando recebemos a notícia de sua morte. Fiquei preocupada com a reação de Catarina, que prontamente me disse: "Sabe Nina, esses encontros aqui na Terra são terríveis e dolorosos. Veja você que meu pai resolveu partir para as esferas superiores, me deixando aqui com minha mãe, que desesperada se encontra. Tenho pena daqueles que acreditam que a vida termina com esta vida. Infelizes, pois têm a fé pequena. Se pensassem bem, veriam que isso aqui nada mais é do que uma passagem evolutiva, ou não. Os que sabem aproveitar essa oportunidade, seguem para os mundos superiores e lá vivem a verdadeira felicidade, aquela desprendida e sem interesses. Mas infelizmente poucos serão recebidos nestes mundos. A maioria ficará por séculos e séculos encarnando e desencarnando, até que acordem para o amor eterno, pois só ele é capaz de nos levar para próximos do Criador". Eu lhe perguntei então, como ela tinha adquirido todo aquele conhecimento, como ela sabia de tudo isso. E ela me disse: "Eu converso com Jesus. E ele é sempre bondoso, e me instrui em tudo o que tenho a fazer". Então lhe perguntei: como você consegue viver assim, sabendo que a vida plena não é deste mundo? Ela então me respondeu: "Todos nós estamos aqui por algum motivo. Em vez de você ficar procurando realizar coisas que não caberão em seu caixão, procure descobrir, e compreender, por que Deus te trouxe aqui. A felicidade está nisso, Nina". Agradeci de pronto e passei a prestar mais atenção em tudo o que ela me falava. Graças a Deus convivemos durante um bom tempo e pude aprender muito com ela.

Todos se abraçam e o encontro é encerrado com uma prece proferida pela própria Nina.

Após abraços e troca de informações sobre a pregação, todos se dirigem para o descanso necessário.

"*Assim como a semente traça a forma e o destino da árvore, os teus próprios desejos é que te configuram a vida.*"

Emmanuel

Cada dia que amanhece assemelha-se a uma página em branco, na qual gravamos os nossos pensamentos, ações e atitudes. Na essência, cada dia é a preparação de nosso próprio amanhã.

Chico Xavier

A Despedida

– Bom dia, Porfírio!

– Bom dia, Felipe!

– E Valéria e sua mãe, onde estão?

– Elas já estão vindo. Eu vim primeiro, pois gostaria de agradecer a você e a Nina a acolhida e o carinho, mas temos que partir.

– Oh amigo, se assim decides, temos que acatar.

– Vou preparar alguma coisa para levarem na viagem – diz Nina.

– Obrigado, Nina!

Nina então prepara uma sacola com alimentos e frutas e oferece aos amigos, quando Valéria e Prisca chegam para as despedidas.

– Obrigada, Nina – agradece Valéria.

– Muito obrigado de coração. Você realmente é um anjo de Deus na Terra. Uma pessoa incrível, amorosa e profunda conhecedora das palavras do Cristo.

– Obrigado, Prisca, vocês também são amigos especiais. Desejo-lhes uma linda viagem e que tudo corra bem.

– Mas Porfírio, vocês têm certeza que não desejam ficar mais alguns dias?

– Não, Felipe, temos que seguir nosso caminho.

– Se é assim, vá com Deus!

– Obrigado, amigo!

Após o desjejum, todos se abraçam. Porfírio pega das mãos de Nina a sacola com os alimentos e assim seguem viagem.

Tudo corre perfeitamente. Disfarçados como plebeus, conseguem facilmente chegar ao destino determinado por Catarina de Alexandria.

Enfim, chegam à cidade determinada por Catarina, e Porfírio procura um lugar para se estabelecerem.

Logo se estabelecem em um pequeno quarto alugado por Porfírio, que arruma um trabalho como agricultor.

Os dias passam normalmente e a felicidade está presente na vida de todos.

Porfírio está na fazenda próxima trabalhando normalmente, quando é interrompido por Jonas, o auxiliar de serviços da propriedade.

– Senhor Porfírio, há soldados por toda parte e estão a lhe procurar.

– Onde eles estão?

– Estão por toda parte, e já se dirigiram para sua casa, a fim de prender sua esposa e a mãe dela.

Porfírio sai correndo em direção à sua casa e nada pode fazer. Valéria já está em poder dos soldados fortemente armados.

– Olha ele aí, estamos há muito lhe procurando.

– Por favor, deixe-a em paz!

– Deixar em paz? Você está louco! Minhas ordens são para matá-lo.

– Mate a mim, mas deixe Valéria em paz. Rogo-te!

– Deixa de bobagens! Soldados, matem a todos! – ordena o destemido e covarde Alexandre.

Ambos foram mortos pela fúria do imperador. Seguindo as ordens, Alexandre ordenou que lhes cortassem a cabeça, e que seus corpos fossem jogados ao mar. E desse modo, a vingança estaria completa.

Tristeza e comoção para todos os poucos amigos que acompanhavam o recomeço de Porfírio, Valéria e sua mãe.

Nada pôde fazer o tão experiente general.

A fúria dos soldados lhe causaram muito sofrimento e morte.

O grande rio tem seu trajeto, antes do mar imenso. Copiando-lhe a expressão, a alma percorre igualmente caminhos variados e etapas diversas, também recebe afluentes de conhecimentos, aqui e ali, avoluma-se em expressão e purifica-se em qualidade, antes de encontrar o Oceano Eterno da Sabedoria.

André Luiz

Acolhidos

A vida após a vida.

– Acorde, Valéria! – uma voz suave soa em seus ouvidos.

Lentamente Valéria abre os olhos e se vê em um leito todo branco, em uma cama que parece flutuar. A seu lado está Catarina de Alexandria.

– Sim, Catarina! Onde estou?

– Estás agora na vida eterna.

– Então não morri?

– Não, Valéria, ninguém morre. Apenas muda de lugar.

– Que lugar é esse?

– Estás em uma colônia espiritual.

– Que vim fazer aqui?

– É aqui seu lugar, agora precisas se refazer para seguir adiante.

– Onde está Porfírio?

– Está aqui também, em outra ala.

– Em outra cama?

– Sim, ele também precisa descansar e refazer-se.

– Morremos na vida terrena, é isso?

– Sim, o corpo que usavas morreu. Mas agora tens a condição da eternidade, e aqui poderás ajustar-se para uma nova experiência.

– Compreendo. Mas necessito?

– Sim, todos os espíritos precisam depurar-se de imperfeições para seguir os desígnios de Deus.

– Sim, Nina me falou sobre isso.

– Agora descanse, assim que estiver refeita, conversaremos mais.

– Agradeço-lhe Catarina, sinto-me ainda muito cansada.

– Descanse, depois voltaremos a conversar.

– Obrigada. Estou feliz em revê-la!

– Eu também, estou muito contente por vocês terem suportado tudo seguindo minhas recomendações.

– Nossa fé nos trouxe até aqui.

– Muito bem, é isso mesmo, sua fé lhe trouxe aos planos mais iluminados.

– Obrigada, Catarina!

– Não tem de quê, eu é que agradeço esta oportunidade.

– Continuas simples e amorosa.

– São os desígnios de Deus.

– Compreendo.

Antes que Catarina se afastasse, Valéria volta ao diálogo.

– E minha mãe, e meu filho, como estão?

– Sua mãe não pode vir para o mesmo lugar que você, devido à sua condição espiritual. Seu filho está bem, ainda não sabe o que lhe aconteceu. Mas não se preocupe com ele, pois estou a cuidar de sua vida.

– Obrigada, Catarina! E, por favor, ajude minha mãe.

– Pode deixar. Nenhum filho de Deus fica desassistido.

– Obrigada!

– Descanse, só isso. Descanse.

Lentamente, Valéria volta ao sono da recuperação.

"O bem que praticares em algum lugar é teu advogado em toda parte."

Chico Xavier

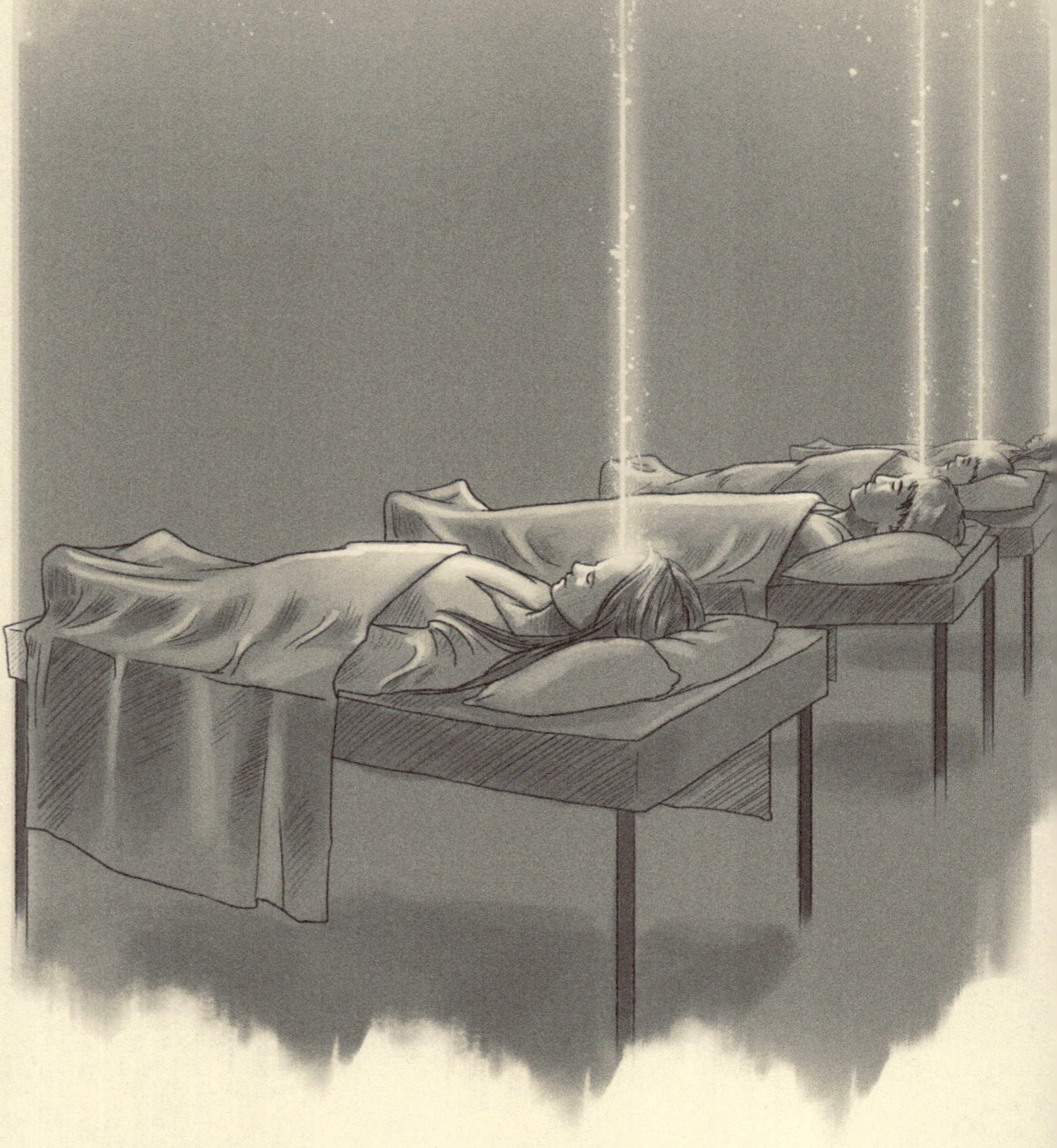

Porfírio acorda assustado, e é assistido por dois espíritos amigos, que o confortam e lhe revelam da existência após a morte.

Confortado e seguro de sua fé, para ele tudo é mais fácil.

Assim, logo está refeito e preparado para o encontro com Catarina. Muito ansioso, ele espera impacientemente contando os segundos para encontrar Valéria, que ainda repousa no sono da recuperação.

Não tendo paciência para esperar, solicita aos amigos que o assistem uma tarefa para passar o tempo.

– Senhores, perdoem-me, mas preciso ser útil, não consigo ficar esperando.

– Querido irmão, agora que já estás refeito, necessário é que descanse para seu encontro com Catarina e Valéria.

– Mas o senhor não está entendendo, já estou bem e desejo ser útil.

– Espere aqui que vou falar com o irmão Daniel. Espere que eu já volto.

– Sim, estarei esperando.

Lucas afasta-se de Porfírio a passos rápidos. Vai até o gabinete onde se encontra Daniel, reunido com outros espíritos iluminados.

A colônia tem vários galpões, onde são recebidos os espíritos recém-desencarnados, e ali são tratados por espíritos da ordem pura, que intercedem para o pronto restabelecimento dos amigos recém-chegados.

A porta está entreaberta, e Lucas coloca sua mão lentamente empurrando-a, para abrir-se totalmente.

– Daniel, desejo falar-lhe, posso entrar?

– Entre, Lucas!

– Perdoe-me a intromissão!

– Não tens que desculpar-se, fale!

– Porfírio está ansioso para a reunião com Catarina, e muito desejoso em ver Valéria, infelizmente ela ainda não acordou.

– Leve-o para dar uma volta pela colônia e explique-lhe como tudo funciona; isso, com certeza, irá distraí-lo.

– Obrigado pela orientação, Daniel, é isso que farei.

– Vá, leve-o!

– Obrigado!

Lucas, então, volta a encontrar-se com Porfírio que ansiosamente o aborda.

– Então, já posso ir?

– Calma, meu irmão! Infelizmente Valéria ainda está dormindo, e não arrumei nenhuma tarefa para você fazer.

– Mas quero ser útil!

– Sabemos disso, e se você está aqui tem um bom motivo, provavelmente você será muito útil a todos nós.

– Sim, eu sei, mas preciso fazer alguma coisa para retribuir o carinho e a acolhida de vocês.

– Tenha calma, que logo saberás o que podes fazer para nos ajudar. Façamos assim, vamos dar uma volta pela colônia que vou lhe explicar como tudo funciona aqui.

– Ótima ideia, vamos logo!

Ansioso, Porfírio pega logo o corredor central e adianta-se, andando rapidamente.

– Espere, irmão, vamos devagar!

– Você é muito lento, irmão! – diz Porfírio.

– Fique calmo, aqui há tempo para tudo.

– Venha logo, aonde vamos?

– Vamos visitar as enfermarias.

– A que lado ficam?

– Calma, ficam à nossa direita, neste grande corredor aí!

– Então vamos.

– Gostaria de trocar suas roupas? – pergunta Lucas.

– Por que, estas estão feias?

– Não, simplesmente não refletem mais sua condição espiritual.

– Agradeço, se isso é necessário; vamos trocar, então.

– Venha, entre aqui, e escolha uma roupa apropriada.

Logo, Porfírio troca sua roupa de plebeu por uma roupa novinha. Usa uma bata longa que vai até os pés, de cor branca, e coloca chinelos franciscanos feitos de couro marrom.

– Agora estou bem vestido, vamos ao nosso passeio.

– Sim, estais muito bem vestido, então vamos.

O primeiro galpão a que Lucas leva Porfírio é o galpão de irradiação aos encarnados na Terra. Ali, diversos espíritos voluntários canalizam energias boas para os necessitados de refazimento na Terra.

A cena impressiona Porfírio que mal consegue falar e expressar sua emoção.

– É impressionante! Como vocês fazem isso?

– Simples, colhemos fluidos bons e encaminhamos aos necessitados.

– Que fluidos são esses?

– Este é o fluido universal, criado por Deus para todas as coisas.

– Impressionante, estou muito feliz!

– Nota-se – brinca Lucas.

– Agora vamos a outro lugar.

– Sim claro, vamos.

Caminham mais alguns metros e entram em outro galpão.

– O que é isso?

– Este é o lugar onde irradiamos os sentimentos mais nobres àqueles que estão em comunhão com a obra de Deus na Terra.

– Como assim?

– Almas encarnadas precisam de inspiração para falar sobre Deus, e estes irmãos são mentores espirituais, e daqui coordenam seus assistidos na Terra, irradiando sentimentos de amor e caridade.

– Lindo este trabalho!

– Sim.

– Posso cumprimentá-los?

– Claro que sim, vá, fale com eles.

Porfírio então cumprimenta um por um os mentores espirituais que estão reunidos com seus assistidos.

Todos ficam muito alegres com a visita do nobre espírito que lentamente toma sua forma espiritual.

– Algo está acontecendo comigo, sinto-me estranho, parece-me que sou daqui!

– Suas lembranças lentamente serão revividas dentro de seu íntimo, e logo você se lembrará de tudo.

– Como?

– Quando você está encarnado, suas lembranças de vidas anteriores são apagadas temporariamente; e quando voltas para cá, tudo lentamente é revivido dentro de ti. Logo se lembrará de todas as suas vidas.

– Compreendo que já tive vidas várias vezes.

– Sim, podes ter certeza disso.

– Sinto-me cansado.

– Vamos voltar para seu quarto para que possas descansar.

– Mas por que estou me sentindo assim?

– O refazimento é lento para alguns e rápido para outros. É necessário que descanse para que todas as suas lembranças sejam vivas dentro de ti.

– É, acho melhor me deitar e descansar.

Pegando Porfírio pelo braço, Lucas o conduz à sua ala e deita-o em seu leito de descanso.

Assim logo Porfírio entra em sono profundo.

Após algum tempo...

– Valéria, acorde!

– Sim, obrigada por acordar-me.

– Venha, Catarina deseja falar-lhe – diz o jovem Lucas.

– Sim, vamos.

– Mas quem é você?

– Me chamo Lucas.

– Você é jovem e bonito.

– Obrigado, Valéria!

Valéria levanta-se bem disposta e caminha com Lucas para o encontro com Catarina, que está em uma ampla sala acompanhada de Daniel.

– Olha quem chega!

– Seja bem-vinda, Valéria! – diz Daniel.

– Obrigada, irmãos!

– Vejo que a irmã já está bem melhor!

– Sim, me sinto muito bem e disposta.

– Olá, Catarina!

– Olá, Valéria. Sente-se, precisamos conversar.

Puxando uma confortável cadeira acolchoada com um tecido verde, Valéria senta-se para conversar com Catarina e Daniel.

– Querida Valéria, antes de começarmos nossa conversa, queremos fazer algumas observações sobre os fatos ocorridos nesta sua última encarnação – diz Catarina.

– Pois sim, pode dizer, Catarina.

– Sabes que Maximino Daia foi, para nós, um terrível tirano; sua maldade e incapacidade de compreender as diferenças fizeram dele um homem muito mal. Sua arrogância vai lhe custar muito na vida eterna. Nós duas sentimos na carne as dores da incompreensão e da intolerância. Mas na lei de ação e reação nada fica esquecido. Embora alguns anos se passem, terás a oportunidade de resgatar seus últimos débitos com os espíritos envolvidos com sua evolução por todas as suas existências.

– Compreendo, Catarina, que ainda há muito a fazer para minha perfeição.

– Recuperastes todas as suas lembranças?

– Sim, agora sei o que fiz, e o que preciso fazer para cumprir definitivamente minha missão na Terra.

– Isso mesmo, vamos relatar-lhe uma história.

– Podes dizer!

– Preste muita atenção.

– Sim.

– A França, no século XV, encontrar-se-á quase que em uma total anarquia e permeada por motins e assassinatos.

– Nossa, em que posso ajudar?

– Os conflitos civis e a desordem social estarão instalados na França. A Inglaterra, sob o comando do rei Henrique V, verá a oportunidade de tomar o poder na França. Em 1422, no entanto, o rei Carlos VI, da França, e o rei inglês Henrique V, morrerão.

– Nossa, estou ficando assustada!

– Não fique, mantenha a calma. Posso prosseguir?

– Perdoe-me, Catarina, mas sou muito sensível.

– Sabemos disso, por isso essa será sua missão.

– Com honradez a realizarei.

– Posso continuar?

– Sim, claro!

– A irmã de Carlos VI, casada com Henrique V, assumirá a regência do trono francês. Sem nenhum sucessor para o trono francês, os ingleses aproveitarão para uma possível invasão da França. Nesse momento em que a França estará sendo invadida pelos ingleses, você terá a oportunidade de realizar sua última missão na Terra.

– Diga-me, o que tenho que fazer?

– Você encarnará como uma mulher que será chamada de Jeanne D'Arc. Mas será popularmente conhecida como Joana D'Arc. E nascerá em Domrémy, na região de Lorena, na França. Será filha de Jacques D'Arc e Isabelle Romée, você ainda terá mais quatro irmãos de nomes Jacques, Catherine, Jean e Pierre, e será a mais nova dos irmãos.

– Sim, Catarina!

– Seus pais serão agricultores, e de vez em quando, artesãos. Você será também muito religiosa, irá muito à igreja e frequentemente fugirá para o campo para orar e falar comigo, que serei sua mentora juntamente com Miguel e Margarida. Nós apareceremos várias vezes para lhe proteger e orientar o caminho a seguir.

– Qual é a missão de vocês?

– Seremos seus mentores espirituais, estaremos à frente das batalhas das quais você sempre sairá vencedora.

– Compreendo – diz Valéria.

– Você estará muito insatisfeita com o governo britânico, assim como os camponeses e populares.

– Certamente que sim.

– A religiosidade será outra característica presente na sua vida. Aos doze anos de idade, começaremos nosso contato com você. Você vai ouvir vozes vindas do céu que lhe dirão para salvar a França e coroar o rei. Lembre-se, essas vozes somos nós, seus mentores, que nos identificaremos com você, somente com você.

– Entendo perfeitamente.

– Você será recebida pelo rei, e a primeira palavra que dirá ao rei será em relação às visões, que estarão acontecendo frequentemente em sua vida. Entretanto, o rei somente acreditará em você quando lhe falar sobre os vários pedidos que ele fizera a Deus enquanto rezava solitário na igreja. Após ser testada também por teólogos, você vai receber do rei uma espada, um estandarte e o comando geral dos exércitos franceses. Logo, você como Joana, vai querer atacar a região de Orleans sob o comando dos ingleses, por isso vai enviar um aviso a eles. Vou exemplificar para que registres em sua memória:

"A vós, ingleses, que não tendes nenhum direito neste Reino de França, o Rei dos Céus vos ordena, e manda, por mim, Joana, a Donzela, que deixeis vossas fortalezas e retorneis para vosso país, caso contrário farei grande barulho".

– Você e a tropa francesa, mobilizada pelo rei Carlos VII, conseguirão empreender vitórias em diversas batalhas. Essa disputa ficará conhecida na história como a Guerra dos Cem Anos. Ela ocorrerá entre 1337 e 1453, e a França sairá vitoriosa, conseguindo expulsar os ingleses, principalmente do norte da França.

– Entendo.

– Após a expulsão dos britânicos, os nobres franceses, representados pelo rei Carlos VII, temerosos de uma forte aliança popular entre você e a população camponesa, a entregarão para os ingleses.

– Sofrerei?

– Sim – diz Catarina.

Neste momento Daniel intercede.

– Mas saiba que estaremos ao seu lado em todo momento – diz amorosamente Daniel.

– Se é isso que tenho que fazer, assim farei. Já compreendi que o sofrimento físico enobrece o espírito.

– Perfeitamente – diz Daniel.

– Tenho mais algumas coisas a lhe revelar – diz Catarina.

– Desculpe-me – diz Valéria, constrangida.

Catarina segue firme em suas revelações.

– Após as batalhas das quais você sairá vencedora, terás um glorioso martírio a passar.

– Vamos em frente – diz Valéria.

– Na primavera de 1430, quando retomar a campanha militar, tentarás libertar a cidade de Compiégne, e serás dominada e capturada pelos borguinhões, aliados dos ingleses. Serás conduzida a Beaulieu-les-Fontaines. E de lá serás ainda levada ao Castelo de Beaurevoir, onde permanecerás todo o verão, enquanto o duque de Luxemburgo negocia sua venda. Ao vendê-la aos ingleses, serás transferida a Ruão. Ficarás em uma cela escura e vigiada por homens. Em contraste ao bom tratamento que receberás em sua primeira prisão, viverás aí seus piores tempos. Logo serás levada a julgamento e dez sessões serão feitas sem a sua presença, apenas com a apresentação de provas, que resultarão na acusação de heresia e assassinato. No dia vinte e um de fevereiro serás ouvida pela primeira vez.

– O que devo fazer?

– Negarás fazer o juramento da verdade, mas logo o farás.

– Compreendo.

– Serás interrogada sobre as vozes que ouvia, sobre a igreja militante, sobre seus trajes masculinos. E nos dias vinte e sete e vinte e oito de março, Thomas de Courcelles fará a leitura dos setenta artigos de acusação contra ti, e buscarão sua condenação. Nesse mesmo dia, começarás a perder sua saúde, por causa da ingestão de alimentos venenosos, que a farão passar muito mal. Vos trarão um médico, porque quererão mantê-la viva, principalmente os ingleses, porque planejam executar-te.

Catarina é interrompida por Valéria.

– Perdoe-me, senhora, mas por que tanto sofrimento?

– Espere e saberás de tudo.

– Posso prosseguir?

– Sim, claro, perdoe-me.

– Vamos. Serás queimada viva em trinta de maio de 1431, com apenas dezenove anos. Serás proclamada Mártir pela Pátria e pela Fé. E assim cumprirás toda a tua missão encarnada na Terra. Logo, cumprido isso, não mais precisarás estar entre os encarnados aperfeiçoando-se.

Após alguns segundos refletindo sobre sua nobre missão, Valéria levanta seu olhar profundo a Catarina e lhe diz:

– Catarina, se terei a ti como protetora, nada tenho a temer.

– Belas palavras! – diz Daniel.

– É assim que tudo se cumpre, uns vivem pelo amor a Deus, outros pelo o amor à Terra, mas todos um dia terão que experimentar a glória do amor divino, convertendo-se em plenitude ao Criador de todas as coisas – diz Catarina.

E prossegue:

– O amor é o mais sublime dos sentimentos que o espírito, a duras provas, deverá aceitar como processo renovador e restaurador das almas imperfeitas. Deus, que é misericordioso, concede a todos os Seus filhos a oportunidade plena de refazimento para a vida espiritual eterna.

– Muito tenho a lhe agradecer por esta oportunidade de livrar tantos da tirania e do desamor, estou pronta para a missão – diz Valéria, erguendo o tronco do corpo, alinhando-se ao olhar de Catarina.

– Agora é tempo de descanso e aperfeiçoamento aqui nesta colônia, aproveite o tempo que ainda falta para aprimorar-se e ficar totalmente disponível para a vitória – diz Daniel.

– Saiba, Valéria, que nenhum espírito encarna na Terra sem saber e aceitar seus desafios. Por isso lhe revelei toda a tua missão. Honre-me e sejas um exemplo para os demais espíritos que, junto consigo, estarão envolvidos nesta missão.

– Compreendo e aceito perfeitamente o que Deus reservou para mim, e aceito com o espírito repleto de felicidade. Mas me perdoe, senhora, posso lhe pedir uma única coisa?

– Sim, claro!

– Pode o meu amor estar comigo nessa missão?

– Porfírio? – pergunta Catarina.

– Sim, não quero nunca mais ficar longe dele.

– Sim, perfeitamente! Ele será seu companheiro de todas as batalhas, você o conhecerá ainda menina.

– Mas como saberei ser ele meu amor?

– Seu nome será Jean. Preste atenção no que vou dizer: as almas predestinadas à vida eterna conhecem-se e reconhecem-se mesmo em situações adversas. Assim, não te preocupes com isso, saberás perfeitamente que Jean é e será teu companheiro por toda a eternidade.

– Obrigada, Catarina; obrigada, Daniel!

– Nós é que te agradecemos por estar entre nós. Agora vá até a enfermaria de número seis e dê as boas notícias ao seu amado.

– Vou correndo.

– Procure por Lucas, para que ele possa auxiliar-te a encontrar Porfírio.

– Pode deixar. Lembre-se, já recuperei minhas lembranças e sei perfeitamente onde está meu grande amor.

Levantando-se apressadamente, Valéria corre em direção a seu amado Porfírio.

Assim se cumpre a trajetória de Joana D'Arc.

Os trabalhos prosseguem na colônia espiritual.

Fim

“

A última página de um livro é sempre o começo de uma nova história, onde o personagem principal é você.

”

Nina Brestonini

Outros títulos lançados por Osmar Barbosa

Conheça outros livros psicografados por Osmar Barbosa.

Procure nas melhores livrarias do ramo ou pelos sites de vendas na internet.

Acesse

www.bookespirita.com.br

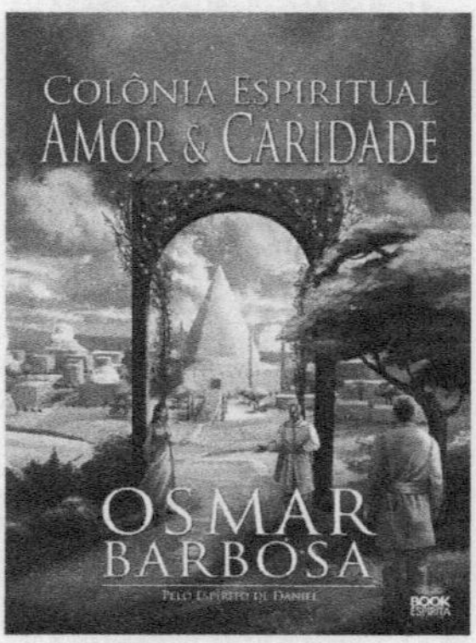

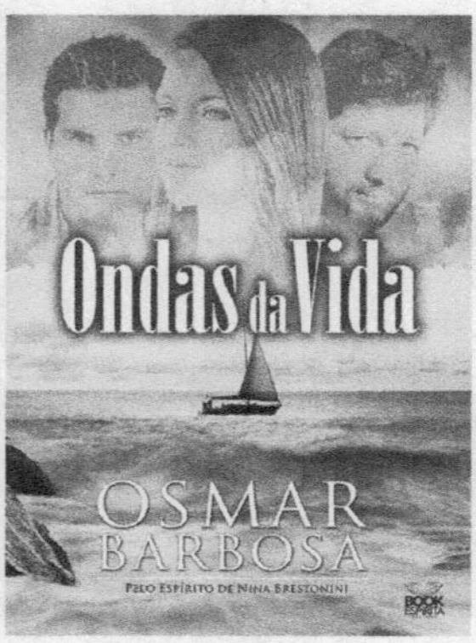

OSMAR
BARBOSA
Pelo Espírito de Nina Brestonini
ALÉM DO SER
A História de um Suicida

A BATALHA DOS ILUMINADOS
OSMAR
BARBOSA

500 almas
OSMAR
BARBOSA
Pelo Espírito de Nina Brestonini

OSMAR
BARBOSA
EU SOU
EXU

OSMAR
BARBOSA
Gitano
AS VIDAS DO
CIGANO RODRIGO

O Amanhã
nos Pertence
OSMAR BARBOSA

Mãe,
voltei!
OSMAR BARBOSA
Pelo Espírito Nina Brestonini

O Lado
Azul da
Vida
OSMAR
BARBOSA

OSMAR
BARBOSA
DEPOIS...

O
LADO
OCULTO
DA
VIDA
OSMAR
BARBOSA
Pelo Espírito de Daniel

Entrevista
com
Espíritos
Os Bastidores do Centro Espírita
por
OSMAR
BARBOSA

Entre Nossas
Vidas
OSMAR BARBOSA
Pelo espírito Nina Brestonini

Colônia Espiritual
Amor & Caridade
Dias de Luz
OSMAR
BARBOSA
Pelo Espírito de Daniel

Cinco Dias
no Umbral
O Resgate
OSMAR BARBOSA
Pelo espírito Nina Brestonini

OSMAR
BARBOSA
Pelo Espírito de Lucas
Amigo
Fiel

VINDE A MIM
O Evangelho no Lar
OSMAR
BARBOSA
Pelo Espírito de Daniel

IMPUROS
A Legião de Exus
OSMAR
BARBOSA
Pelo Espírito de Lucas

O Médico de
DEUS
OSMAR
BARBOSA
Pelo Espírito de Nina Brestonini

AUTISMO
A ESCOLHA DE NICOLAS
OSMAR
BARBOSA

UMBANDA
PARA
INICIANTES
OSMAR
BARBOSA

OSMAR BARBOSA
PARAFRASEANDO
CHICO
XAVIER
Seleção das mais belas frases
de Chico Xavier

OSMAR
BARBOSA
Cinco Dias
no Umbral
O Perdão

Acordei no
OSMAR
BARBOSA

ROMANCE ESPÍRITA
A ROSA
DO CAIRO
OSMAR
BARBOSA
PELO ESPÍRITO DE NINA BRESTONINI

NINA BRESTONINI
DEIXE-ME Nascer
OSMAR BARBOSA

OBSESSOR
OSMAR BARBOSA

REGENERAÇÃO
UMA
NOVA
ERA
OSMAR BARBOSA

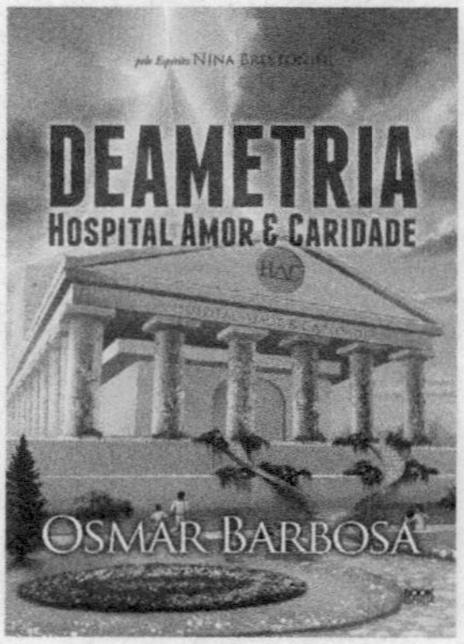
pelo Espírito NINA BRESTONINI
DEAMETRIA
HOSPITAL AMOR & CARIDADE
HAC
OSMAR BARBOSA
BOOK

A
Vida
depois da
Morte
OSMAR BARBOSA
pelos Espíritos NINA BRESTONINI e LUCAS
BOOK

BOOK ESPÍRITA EDITORA

Esta obra foi composta na fonte Century751 No2 BT, corpo 13.
Rio de Janeiro, Brasil.